LES PLUS BELLES CROISIÈRES DU MONDE

Achevé d'imprimer en octobre 2002
sur les presses de l'imprimerie Artegrafica S.p.A., à Vérone
Dépôt légal : octobre 2002
Imprimé en Italie

Conception graphique : Andrea Wainer
Réalisation : Fabienne Gabaude
Correction : Véronique Babin

Crédits photographiques
Toutes les photos des navires proviennent des armateurs, tous droits réservés.
Toutes les autres photos proviennent de l'agence Corbis :

p.11 : Nick Wheeler ; p.12 : Owen Franken ; p.13 : Wolfgang Kaehler ; p.18 : Robert Holmes ;
p.22 : Robert Dowling ; p.25 : Dave G. Houser ; p.26a : D.R. ; p.26b : Paul A. Souders ;
p.29 : David Samuel Robbins ; p.30 : Michael S. Yamashita ; p.33 : Dallas et John Heaton ;
p.34-35 : Reuters NewMedia Inc ; p.36 : David Ball ; p.38b : Corbis ; p.39 : Charles et Josette Lenars ;
p.40a : Bob Krist ; p.40b : Jeremy Horner : p.40c : Charles Lenars ; p.41 : Michael S. Yamashita ;
p.42, 45, 46 : AFP/Corbis ; p.44, 47 : Keren Su ; p.48 : Nik Wheeler ; p.51 : Christine Kolish ;
p.52 : Richard Bickel ; p.54-55 : Roman Soumar ; p.60 : D.R. ; p.70 : Gavriel Jekan ;
p.73, 74 : Galen Rowell ; p.75 : Reuters NewMedia Inc/Corbis ; p.76-77 : Ric Ergenbright ;
p.78 : Dave G. Houser ; p.81 : Nicolas Sapieha ; p.82 : David Cumming/Eye Ubiquitous ;
p.84 : Katherine Karnow ; p.86 : Bruce Adams/Eye Ubiquitous ; p.89 Wolfgang Kaehler ;
p.90 : Charles Lenars ; p.93 : Buddy Mays; p.94, 95 : Macduff Everton ; p.96-97 : Farrell Grehan ;
p.98 : Dave G. Houser ; p.100 : David Samuel Robbins ; p.102 : Paul Almasy ; p.103 : Yony Arruza ;
p.120a : Wolfgang Kaehler ; p.120b : Tim Thpmpson ; p.121 : Stuart Westmorland ;
p.127 : Robert van der Hilst ; p.128 : Enzo et Paolo Ragazzini ; p.131 : Stephanie Colasanti ;
p.132 : Mimmo Jodice ; p.133 : John Hesseltine ; p.134-135 : Patrick Ward ; p.136 : Jack Novak ;
p.139 : Paul Almary ; p.140 : Adam Woolfitt ; p.141 : David Forman/Eye Ubiquitous ;
p.148 : Hubert Stadler ; p.150 : Wolfgang Kaehler ; p.153 : D.R. ; p.154-155 : Hubert Stadler ;
p.156 : Nik Wheeler ; p.158 : Michael Boys ; p.160a : Sheldan Collins ; p.160b : Jon Hicks ;
p.161 : Nik Wheeler ; p.162 : Tony Arruza ; p.164c : Dare Bartruff ; p.165 : Owen Franken ;
p.166a : Onne van der Val ; 166b : Dave G. Houser ; p.166c : Peter Johnson ; p.167 : D.R..

Connectez-vous sur :
www.lamartiniere.fr

ISBN : 2-8307-0673-0

LES PLUS BELLES CROISIÈRES DU MONDE

MICHEL BAGOT

Minerva

INTRODUCTION

En 1972, la Compagnie générale transatlantique me demanda de participer à la rédaction du livre d'honneur qui allait être remis aux futurs passagers de la première croisière du *France* autour du monde. La Transat m'avait choisi car j'étais globe-trotter depuis une dizaine d'années déjà, grand reporter évoluant *travel writer*. Je ne me doutais pas, alors, que trente années plus tard, j'aurais le privilège de décrire les vingt-quatre plus belles croisières autour du monde.

Me voici donc des milliers de bateaux plus loin : du gigaship au petit catamaran en passant par le caïque local, mon expérience s'est considérablement enrichie. J'avoue cependant avoir eu du mal à choisir parmi la masse des voyages maritimes et fluviaux qui sont aujourd'hui proposés, avec toujours plus de soin et de souci du détail de la part des armateurs et des tour-opérateurs du monde entier.

Le corpus de cet ouvrage s'est formé petit à petit, tout naturellement, suivant un certain nombre de critères. Pour être considérée objectivement comme l'une des plus belles du monde, une croisière se doit d'abord de nous faire rêver et participer de quelque chose d'exceptionnel. Les destinations seront donc prestigieuses, inconnues, légendaires, voire mythiques. Le bateau devra être remarquable également. Il s'apparentera le plus souvent à un (petit-)grand hôtel d'autrefois, à une résidence de luxe ou de charme, ou à un véritable navire-expédition. Sa technicité, mais aussi l'art de vivre à bord, le confort et l'ambiance ont été primordiaux dans mes choix. De nos jours, les compagnies maritimes se plaisent à dire que *the ship is the destination*. Certes, mais mes critères ne vous entraîneront pas ici vers l'un de ces gigantesques parcs de loisirs sur mer. S'agit-il toujours d'une croisière digne de ce nom lorsque l'on vous propose à bord moult piscines à remous, casinos géants, murs d'escalade, vastes patinoires et galeries marchandes ? N'oublions pas l'essentiel. N'oublions pas le voyage lui-même, la destination, le rêve...

Aujourd'hui, une foule d'escales – y compris les plus prestigieuses – sont prises d'assaut par des compagnies qui pratiquent des tours à prix bas. Mais, même si une région est parcourue par plusieurs centaines de navires, dites-vous bien qu'il en existe au moins un qui vous évitera les affres du tourisme de masse. J'ai ainsi, pour les Caraïbes et la Méditerranée en particulier, cherché plutôt au milieu de centaines de navires et de croisières souvent très répétitives les perles rares, alliant qualité et périples originaux. Certaines de ces croisières n'ont pas encore débuté à l'heure où ce livre s'imprime; d'autres risquent peut-être d'être annulées au dernier moment. Dans tous les cas, vous aurez la primeur de ce que seront assurément les plus beaux voyages sur mer de ce siècle neuf.
Bons embarquements !

Michel Bagot

PAUL GAUGUIN

LA **POLYNÉSIE** DE GAUGUIN

Les îles polynésiennes sont telles que nombre d'explorateurs, artistes, peintres et poètes les abordèrent un jour pour ne plus jamais les quitter. Leur exotisme absolu et leur beauté magique en font un lieu sacré unique au monde.

PAUL GAUGUIN

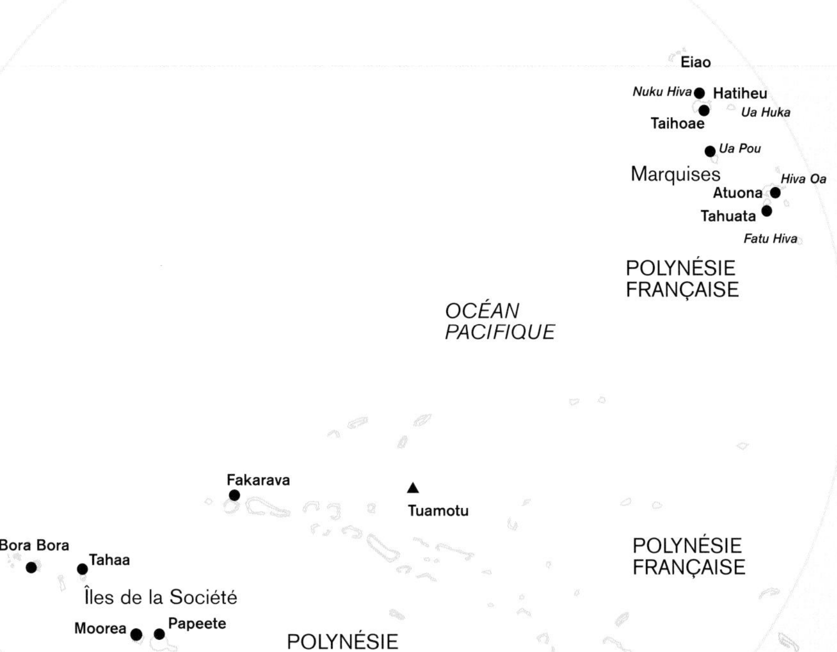

Principaux sites et escales :
• **Papeete** • Tahaa • Bora Bora • Hatiheu • Taihoae • Vaipaee • Atuona • Omoa • Fakarava • Moorea • **Papeete**

Catégorie : Luxury

Autres navires : Ara Nui • Clipper Odyssey • Tahitian Princess • Windsong • World Discoverer

▲ Le *Paul Gauguin* est bien plus qu'un confortable hôtel flottant, avec sa marina arrière qui se déplie. Il permet d'accéder à des plages insurpassables, comme ici aux Tuamotu.

▶ Le *Paul Gauguin* revient comme en pèlerinage deux ou trois fois par an dans la baie d'Atuona de l'île d'Hiva Oa, aux Marquises, lieu enchanteur qu'affectionnait tant Gauguin.

La Polynésie française est peut-être *la* destination de croisière par excellence. Des petits aux grands voiliers, des catamarans à moteur ou à voile, des yachts aux paquebots, en passant par les cargos mixtes qui font le tour de certains archipels, la gamme offerte est plutôt vaste. Choisir un enfant du pays, le *Paul Gauguin*, est particulièrement bien adapté. Tout blanc, très lumineux, ce bateau spacieux accueille un peu plus de trois cents passagers. Il fut construit et lancé en 1997 par les Chantiers français de l'Atlantique pour la Compagnie maritime de croisières. Grâce à son faible tirant d'eau, le *Paul Gauguin* est un des seuls paquebots à pouvoir s'introduire dans les lagons d'azur. Il offre de nombreux services ainsi qu'une table irréprochable, dignes de Radisson Seven Seas Cruises et de sa clientèle haut de gamme, en grande partie américaine et française.

Le *Paul Gauguin* propose chaque année une à deux longues croisières qui le mènent aux Marquises, à 1300 kilomètres de Papeete, la capitale de la Polynésie française, son point de départ. Ces îles se situent en avant-poste isolé, en plein Pacifique sud, à plus de 6500 kilomètres de la plus proche côte continentale. Très escarpées, presque déchiquetées, les Marquises présentent au nouveau venu des falaises de roche volcanique noire et figée, apparemment impénétrables. Au détour de l'une d'elles pourtant, on apercevra une belle plage au sable gris, bordée de cocotiers, ou bien une vallée luxuriante.

Paradoxalement, ces îles éloignées ont pratiquement constitué le carrefour premier de l'ancienne Polynésie. D'ici sont partis, sur leurs longues pirogues à balanciers, les futurs Hawaïens, les pionniers aventureux de l'île de Pâques, ainsi que tous les habitants de l'archipel de la Société. On trouve encore dans la jungle *maraes* et *tikis*, les artisans des petits villages sculptent toujours les fétiches symboliques ancestraux, et les tatouages rituels y ont encore un bel avenir. Les Marquises ont toujours fasciné les navigateurs. Découvertes par les Espagnols en 1595, elles furent annexées par la France ▶

en 1842, et constituent un territoire d'outre-mer de la Polynésie française depuis 1946. À Atuona, on pourra aller se recueillir sur les modestes tombes de Paul Gauguin et de Jacques Brel, aujourd'hui devenues des lieux de pèlerinages du bout du monde.

À l'aller comme au retour de cette destination extrême, des escales sont prévues dans les îles de la Société. Bora Bora, bien sûr est incontournable. Elle mérite amplement ses surnoms de « perle du Pacifique » et de « reine des océans ». Cette véritable forteresse de forêts vert émeraude est comme plantée au milieu d'un immense lagon aux eaux tantôt turquoise, tantôt jade, tantôt saphir. Sa beauté est telle qu'elle paraît incroyable, irréelle, cinématographique. Il vous semblera en l'approchant toucher l'un des derniers paradis terrestres. Ses voisines aussi valent le détour. Tahaa d'abord, qui n'est séparée de Raiatea que par un chenal long de quatre kilomètres, puis Moorea, petit massif volcanique en forme de cœur, qui attire les plongeurs… et les mariés du monde entier ! Le *Paul Gauguin* fera aussi escale aux Tuamotu. Ici, point de relief élevé au milieu des atolls mais d'immenses lagons, parfois longs de dizaines de kilomètres, quasiment au ras de la mer. Autour de ces plages et de ces baies – les plus belles du monde dit-on – toute une population semble vivre encore comme d'antan, même si la présence de petites voitures – bien utiles pour les excursions ! – nous ramène dans le siècle.

▲ Perdus dans la végétation luxuriante des Marquises, presque enfouis, on peut encore découvrir des *tikis* (comme ici celui de Me'Ae Oipona, à Hiva Oa). *Tikis* et autres *maraes*, quelquefois disloqués, témoignent des anciennes traditions culturelles.

◀ L'arrivée sur Bora Bora reste toujours incomparable, inoubliable, enchanteresse. Les passagers du *Paul Gauguin* bénéficient même d'une escale privée sur un *motu*, l'un des minuscules îlots qui bordent le lagon émeraude.

DE **TAHITI** À L'ÎLE DE PÂQUES

Envie de parcourir les mers du Pacifique et de partir sur les traces des mutinés du *Bounty* ? Le *World Discoverer* est le bon bateau, excepté qu'il ne sera pas nécessaire d'y fomenter une rébellion.

WORLD DISCOVERER

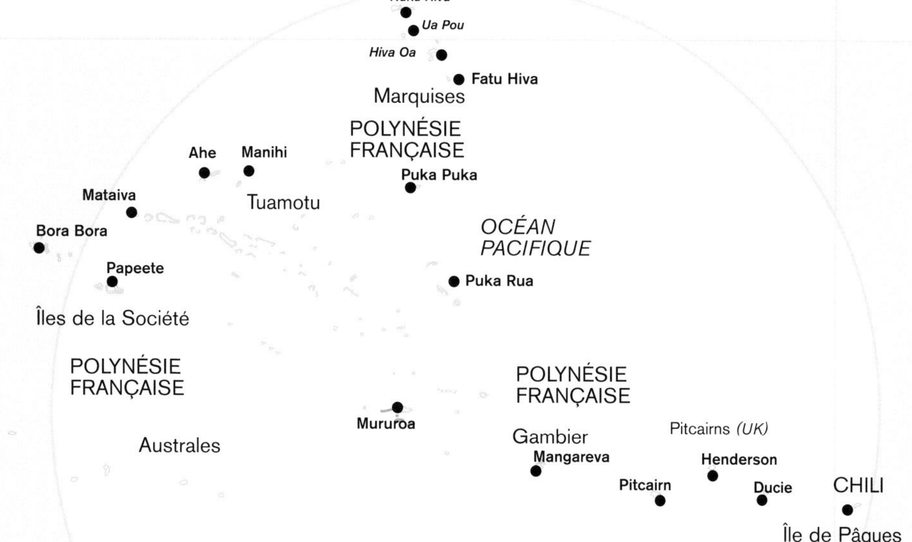

Principaux sites et escales :
- **Papeete** • Bora Bora • Mataiva • Ahe/Manihi • Ua Pou • Hiva Oa • Fatu Hiva • Puka Puka • Puka Rua • Mangareva • Pitcairn • Henderson • Ducie • **Île de Pâques**

Catégorie : Premium Plus Expedition

Autre navire : Deutschland

LES MUTINS DU BOUNTY

Peu de mutineries ont été aussi célèbres que celle de l'équipage du *Bounty*. Nous sommes en 1789. Le navire, commandé par William Bligh, avait été envoyé par l'Amirauté anglaise pour continuer les explorations du Pacifique amorcées par Cook. Le bateau remplit son office de découvreur et donna son nom à un archipel. Mais, arrivé aux îles Tonga, après un séjour trop idyllique à Tahiti, l'équipage, malmené par la dureté de son capitaine, se mutina. Les officiers furent abandonnés en pleine mer sur un canot. Bligh et ses compagnons parvinrent à survivre. Quant aux mutins, après plusieurs circonvolutions maritimes, ils s'établirent à Tahiti et à Pitcairn, où vivent toujours certains de leurs descendants !

Peu de navires de croisières réalisent actuellement de longues transversales à travers le Pacifique central. Pourtant, il y a plus de deux mille ans, de petits groupes de clans polynésiens, en manque de territoire, s'y aventuraient avec femmes et enfants sur des pirogues à balanciers. Le soleil, les étoiles et l'observation des oiseaux constituaient leurs seuls repères et instruments de navigation. Partis des Samoa, ces gens courageux parvinrent d'abord jusqu'aux Marquises. Puis, par des chemins étonnants, ils abordèrent successivement les îles de la Société, Raiatea, Tahiti et Hawaï, pour atteindre finalement le point le plus extrême, l'île de Pâques.

Depuis plusieurs années, Society Expedition part régulièrement sur leurs traces avec ses *World Discoverer* succesifs. Plusieurs croisières de rêve sont organisées. Elles commencent en général en Papouasie-Nouvelle-Guinée pour se rendre jusqu'aux premières îles du Chili. « Sur les traces du Bounty » est l'une des plus fascinantes. Le navire suit un périple qui le mène de Papeete à l'île de Pâques, en dix-sept nuits. Il commence par contourner Bora-Bora et fait une escale dans deux atolls des Tuamotu. Les Tuamotu couvrent une surface équivalente à celle de l'Europe. En visitant Mataiva et Ahe Manihi, vous aurez un aperçu de ce qu'est la vie traditionnelle d'aujourd'hui dans les îles polynésiennes. Vous découvrirez d'autres îles, plus sauvages, en bordure de l'immense archipel. L'une d'elles, Puka Puka, fut d'ailleurs la première que rencontra Magellan après s'être lancé sur ce nouveau grand inconnu, le Pacifique.

Au nord, presque au niveau de l'équateur, le *World Discoverer* vous donnera l'occasion d'un pèlerinage aux Marquises. Cette escale est un point d'orgue polynésien indispensable. C'est en effet de là que partirent autrefois les grands voyageurs à la conquête du Pacifique, jusqu'à l'île de Pâques et Hawaï. ▸

◂ **Avec le *World Discoverer*, on aborde les splendeurs naturelles de la Polynésie, mais aussi, grâce à une transpacifique complète, les archipels des Salomon, du Vanuatu, des Fidji, des Tonga, des Cook, des Pitcairns, jusqu'à la lointaine et mythique île de Pâques.**

Les silhouettes des falaises volcaniques, abruptes, découpées et dentelées de ces îles du bout du monde sont très impressionnantes. Ces gardiennes ne laissent entrevoir une baie qu'au prix de savants détours et cachent un trésor de vallées luxuriantes. Fatu Hiva, Ua Pou, Hiva Oa sont toutes encore peuplées des anciens *maraes* – ces emplacements sacrés, lieux de la plus haute spiritualité – presque complètement recouverts par la forêt tropicale.

Le navire pique ensuite au sud-est et se dirige vers Mangareva, la plus grande des Gambier, dernier véritable archipel avec un lagon. Encore quelques centaines de miles et le voici aux Pitcairns, l'une des rares possessions de la couronne britannique dans le Pacifique. L'archipel est encore plus isolé et composé de trois îles seulement. Ducie est habitée par les descendants des colons, Henderson est livrée aux oiseaux de mer et Pitcairn est célèbre... pour avoir vu y débarquer, en 1788, les derniers mutins de l'équipage du *Bounty* !

Votre impression de bout du monde s'accentuera à l'escale finale, l'île de Pâques. Ce sont les trois vaisseaux du capitaine hollandais Jacob Roggeveen qui la découvrirent les premiers, le jour de Pâques de l'année 1772. Perdue en plein Pacifique sud, elle se situe à des centaines de kilomètres de la dernière des Pitcairns et à plus de deux mille six cents kilomètres des côtes du Chili (elle est chilienne depuis 1888). C'est une île volcanique, aujourd'hui à peu près dépourvue d'arbres. Son charme unique au monde vient de ses statues monolithiques géantes, aux origines polynésiennes (on apparente les *moai* aux *tikis*). Si l'on a beaucoup écrit sur cette étrange île loin de tout, les sentiments puissants qu'elle vous inspirera seront à la hauteur de sa réputation. Mais ne vous leurrez pas : l'île gardera pour elle une partie de ses mystères. Et ce n'est pas l'un de ses deux mille habitants qui viendra rompre le charme.

LES MYSTÈRES DE L'ÎLE DE PÂQUES

L'île de Pâques a suscité bien des questions. Comment était-on parvenu à naviguer jusque-là ? Comment les rangées de *moai* avaient-elles été dressées (les colossales statues taillées dans le tuf volcanique mesurent plus de 20 mètres de hauteur et pèsent dans les 300 tonnes...) ? Pourquoi ont-elles été abattues à la fin du XVIIe siècle ? Et pourquoi les Rapanui, après s'être violemment combattus les uns les autres, s'étaient-ils tous brusquement convertis à la nouvelle religion de l'homme-oiseau ? Aujourd'hui, on pense que la végétation de l'île a disparu à la suite d'une période de sécheresse intense, laissant les Pascuans sans bois de construction. Comment alors envisager de quitter l'endroit ? L'île, en dépit de nombreuses études, conserve encore aujourd'hui une partie de son mystère.

Sur l'île de Pâques subsistent plusieurs grandes statues, les fameuses *moai*, taillées dans la pierre volcanique. Elles ont souvent été redressées et replacées, comme autrefois, sur les grands autels qui les supportaient.

DE L'**AUSTRALIE** À LA NOUVELLE-ZÉLANDE

Les paysages de la Nouvelle-Zélande ont de quoi ébahir plus d'un croisiériste, même averti. Avec ce voyage, vous irez de dépaysement en dépaysement : les villes modernes contrastent avec la plus sauvage des natures.

SILVER WIND

Principaux sites et escales :
Brisbane • Sydney • Melbourne • Hobart • Milford Sound • Doubtful Sound • Dusky Sound • Dunedin • Lyttelton • Auckland • Tauranga • Wellington • Picton • **Lyttelton**

Catégorie : Luxury

Autres navires : Clipper Odyssey • Europa • Legend of the Seas • Prinsendam

Les paysages sauvages néo-zélandais combinent savamment douceur et danger : les fumerolles du Rotorua s'étirent lentement vers le ciel, alors qu'alentour s'étalent les vertes prairies de Matamata ; les fabuleux lacs du Fjordland font croire à une paix toute relative, encerclés comme ils le sont par les volcans. Baudelaire, s'il avait voyagé en cette contrée, aurait sans doute apprécié ce mélange de beauté et de danger, car ici, tout n'est que *luxe (naturel), calme (apparent) et volupté*. Depuis des millénaires, les baies et les plages sont un enchantement. Quant aux massifs montagneux, ils ressemblent à des Alpes qui, par moments, se prendraient pour une cordillère des Andes parsemée de glaciers de Norvège.

▲ Pour bien découvrir les grands fjords du Sud de la Nouvelle-Zélande, rien ne vaut un bateau comme le *Silver Wind*, qui vous emmène au plus profond du spectaculaire Milford Sound (page précédente).

▶ Certaines de ses croisières le font partir de l'Australie et passer par la Tasmanie. On peut alors visiter la petite capitale Hobart, installée dans un superbe décor.

Depuis quelques années, paquebots et grands voiliers s'intéressent de près à cette grande île double. Le *Silver Wind* est l'un des premiers paquebots de luxe modernes à avoir été positionnés à l'année dans le Sud-Est asiatique par sa compagnie. Silversea Cruises le fait naviguer plus particulièrement en Nouvelle-Zélande, durant l'été austral. Ce bateau est un moyen exceptionnel pour les amateurs de belles croisières de découvrir toutes les merveilles de la région.

Parmi les différents itinéraires que propose le *Silver Wind*, il en est un qui mérite la première place. Ce périple part de Sydney – et même quelques jours auparavant de Brisbane, la métropole balnéaire de la Gold Coast – et se termine vingt-quatre jours plus tard à Lyttelton. Si vous ne connaissez pas encore l'Australie, c'est l'occasion idéale : le navire s'arrête deux jours à Sydney, puis à Melbourne, avant d'arriver à Hobart, en Tasmanie. Quarante-huit heures de mer plus tard apparaissent les fantastiques fjords de la côte sud-ouest de la Nouvelle-Zélande. Le dépaysement est garanti ! Les panoramas sont à couper le souffle, et d'un point de vue climatique, c'est un peu comme de passer en quelques jours de la Costa del Sol estivale à l'Écosse automnale, puis à la ▶

Norvège, et de revenir ensuite aux Bahamas ! Les impressions sont démultipliées par le « coefficient Pacifique sud », qui combine si bien l'exotisme et le sublime, l'attendu et l'inattendu. Après la découverte des fjords à Milford Sound et Doubtful Sound, le *Silver Wind* entame le grand tour de l'île du Sud, ou île de Jade. Il aborde Dunedin, puis Christchurch et Lyttelton une première fois. C'est le moment de visiter le grand centre antarctique et de découvrir la faune sauvage d'Akaroa : d'étonnants pingouins aux yeux bleu et jaune, ainsi que les plus petits dauphins du monde. La croisière enchaîne ensuite avec l'île du Nord, ou île Fumante. Les villes, situées sur quelques-unes des plus magnifiques baies du monde, y sont plus belles les unes que les autres. Elles mêlent de vieux immeubles victoriens aux buildings les plus modernes, dans un fouillis d'époques et une grande gaieté. Auckland, la plus au nord, ouvre le bal. Vient ensuite Wellington, sur le détroit de Cook et la volcanique Tauranga. Les montagnes en activité se dressent dans le panorama, souvent solitaires, comme à Rotorua, un centre culturel maori. Le temps de s'arrêter à Picton, et voici déjà le navire de retour à Lyttelton. Le temps vous fait alors une pirouette : vous aurez l'impression d'être parti depuis des mois, alors qu'au jour le jour, les heures auront filé comme le vent. Avant de reprendre l'avion, vous pourrez encore peut-être passer quelques précieux jours dans la région, entre montagnes, glaciers et lacs. À moins que vous ne préfériez goûter, avant d'embarquer à Brisbane, aux délices sous-marins de la Grande Barrière de corail australienne.

▲ En Nouvelle-Zélande, on passe en quelques jours des fjords de l'île du Sud aux volcans de l'île du Nord, en goûtant au passage la compagnie de dizaines de dauphins.

▲ Entre Auckland et Wellington, l'île du Nord offre quelques-uns des plus beaux panoramas tropicaux du Pacifique sud, comme la fameuse Bay of Islands ou celle de Tauranga. Là encore, le *Silver Wind* est un instrument idéal pour savourer les plages maories.

LE **JAPON** EN CINÉMASCOPE

Vous rêvez de découvrir le pays du Soleil-Levant ? Grâce au *Clipper Odyssey*, l'archipel japonais se déroulera pour vous en vingt jours, durant une croisière en cinémascope… et en gros plans !

CLIPPER ODYSSEY

Principaux sites et escales :
Osaka • Himeji • Takamatsu • Okayama (Uno Ko) • Miyajima • Hiroshima • Uwajima • Kagoshima • Nagasaki • Cheju • Pusan (Kyongju) • Miura-Wa (Megoshima) • Izuhara • Hagi • Matsue (Sakak Ko) • Kanazawa • Sado • Aomori • Hakodate • Shiogama (Matsushima Bay) • Yokohama (Kamakura) • Tokyo • Toba - Hamajima • Kobe • **Osaka**

Catégorie : Luxury Yacht Expedition

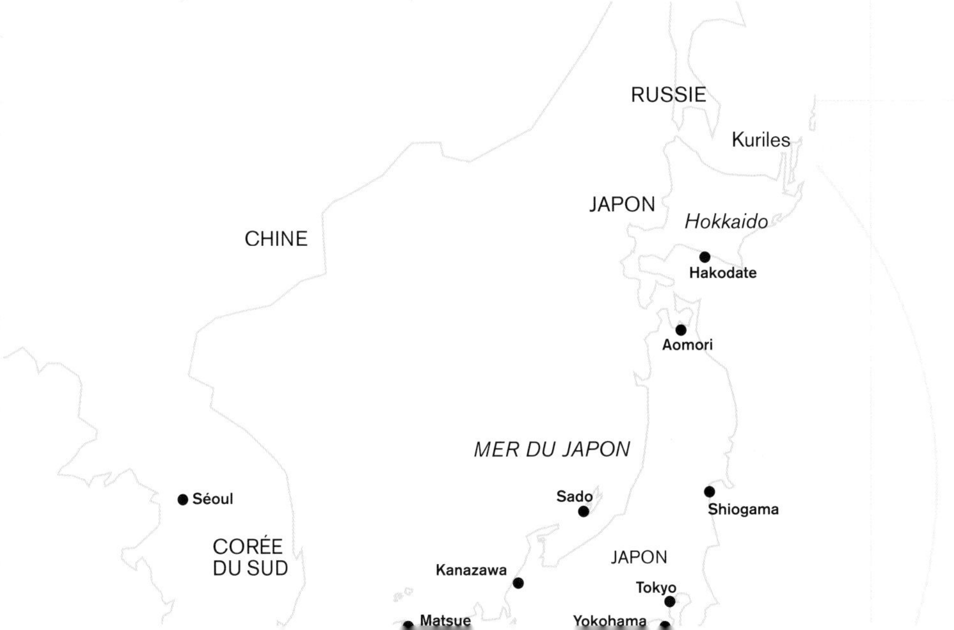

RUSSIE
Kuriles
JAPON
Hokkaido
CHINE
Hakodate
Aomori
MER DU JAPON
Sado
Shiogama
Séoul
CORÉE DU SUD
JAPON
Kanazawa
Tokyo
Matsue
Yokohama

Le *Clipper Odyssey* propose de faire le tour complet de l'archipel nippon. J'ai découvert ce mini-paquebot très confortable il y a quelques années déjà, lorsqu'il était encore japonais. Il se nommait alors *Oceanic Grace* et proposait des croisières en mer Intérieure à une clientèle locale aisée. Mais cette démarche dut rencontrer un succès très modéré car son propriétaire, NYKK, le vendit à la compagnie Spice Island Cruise. Je l'expérimentai alors à nouveau, entre l'Indonésie, Bali et Komodo. Le bateau fut vendu une seconde fois, aux Américains de Clipper Cruise Line. Paradoxalement, ce rachat le ramena dans ses eaux natales. Ainsi propose-t-il désormais, et depuis plusieurs années, des périples entièrement consacrés au Japon. Comme toutes les croisières organisées par Clipper, celles-ci peuvent se doubler d'un petit séjour à Osaka, Tokyo, voire Kyoto, grand centre culturel et religieux.

◀◀ Çà et là, quelques *torii*, ces portiques rouges émergeant de l'eau comme ici celui d'Isukushima, ressemblent eux-mêmes à de petites portes secondaires, s'ouvrant sur d'autres sanctuaires, comme les parcs nationaux de Miyajima et de Kyoto.

◀ Himeji, le fameux château-forteresse du Héron-Blanc, magnifié par le film *Kagemusha* du célèbre réalisateur japonais Akiro Kurosawa, constitue une sorte de porte d'entrée monumentale sur cette magnifique mer Intérieure du Japon.

Dès l'embarquement à Himeji, les plus beaux panoramas se succèdent, comme dans un film ! On découvre d'emblée le grand château-forteresse du Héron-Blanc, qui servit de décor au film *Kagemusha* de Kurosawa. D'autres châteaux s'enchaînent, à Aomori, Maeda et Matsue. L'amateur appréciera également les fameux jardins zen du Koraku, à Okoyama, à Kagoshima ou à Kanazawa. Mais les spectacles ne sont pas seulement terrestres ! Dans la mer Intérieure, on passe lentement devant les fameux portiques rouges. Leur apparition est assez féerique car ils semblent sortir directement des eaux. Quant aux grandes baies surmontées par les volcans de Kyushu, elles surpassent sans doute tous les paysages naturels de cette croisière pourtant riche en cartes postales.

Partout au Japon vous constaterez l'importance de la mer. Les bateaux de pêche sont nombreux dans ces eaux particulièrement riches et les pêcheries japonaises sont les deuxièmes du monde. Il faut dire que le Japonais consomme beaucoup de poisson (la viande ne fut mise au menu qu'à l'ère ▶

Meiji), cru, cuit, salé, séché, fumé ou confit, et qu'il est aussi le premier importateur mondial de produits marins (algues, mollusques, crustacés).

Dans son tour complet de l'archipel, le navire déroule ses escales : sur la minuscule île de Miyajima – où l'on visite le fameux sanctuaire de Itsukushima Jinja – puis dans les villes de Hiroshima et de Nagasaki. Plusieurs autres arrêts proposent de visiter des bourgades qui vivent encore, semble-t-il, à l'heure des samouraïs. Une halte sur l'île de Hagi permettra d'acheter des poteries. Une autre sur l'île de Sado permettra de rencontrer des pêcheuses de perles. Leurs maisons en planches incrustées de sel vous paraîtront appartenir à une autre époque. D'ailleurs, il n'y a guère plus de trente ans que ces insulaires se sont habitués à voir des étrangers.

▲ Le *Clipper Odyssey* a été construit en Hollande mais conçu au Japon. Il a fait, en tant qu'*Oceanic Grace*, ses débuts de superyacht plutôt luxueux sur cette mer Intérieure et le long de ses côtes.

▶ La silhouette du mont Fuji a littéralement bercé les premières croisières du *Clipper Odyssey*, et les mégapoles flamboyantes d'Osaka et de Tokyo (double page suivante) sont pour lui des panoramas familiers.

Le navire remonte ensuite jusqu'à Hokkaido, s'arrêtant au passage dans toutes les métropoles du Japon actuel, Yokohama, Tokyo, Kobe, Osaka. Ces villes très modernes, très étendues et très peuplées contrasteront assurément avec les villages traditionnels que vous aurez croisés auparavant. En cours de route, vous admirerez le mont Fuji, ou Fuji-Yama, ou Fuji-San pour les Japonais. Ce volcan en sommeil au cratère recouvert de neiges éternelles est la plus haute montagne du pays. Sa dernière colère remonte à 1707 ; il avait alors projeté des cendres dans un périmètre de cent kilomètres ! Une légende veut que ses éruptions soient l'expression de l'amour d'un homme de la région pour une femme originaire… de la lune. Une autre raconte que la montagne sacrée est habitée par la princesse qui fait fleurir les plantes : pour ne pas susciter sa jalousie, l'ascension du Fuji fut interdite aux femmes jusqu'en 1872 ! Le peuple japonais vénère ce volcan et vous serez sensible à cet attachement mystique.

Difficile de trouver un itinéraire aussi riche sur un pays aussi complet. Le seul éventuel défaut de cette croisière tiendrait plutôt au navire, surtout si vous êtes grand : la taille des lits avait au départ été conçue… pour des Japonais !

箱 根 神 社

SUR LES TRACES DES **MÉLANÉSIENS**

Suivant la route des grandes migrations des Mélanésiens, l'*Hanseatic* longe l'équateur pour évoluer entre l'Asie et l'Australie, de Saigon et Bali jusqu'à la Grande Barrière de corail.

HANSEATIC

Principaux sites et escales :
Hô Chi Minh-Ville • Kuching • Bintulu • Miri • Muara • Kota Kinabalu • Sandakan • Ujungpandang • Pare Pare • Benoa • Komodo • Larantuka • Kalabahi • Lucipara • Misool • Walgeo • Gam • Irian Jaya • Wewak • Madang • Marienharbor • Îles Trobriand • Kiriwina • Kitava • Gawa • Iwa • Salamo • **Cairns**

Catégorie : Luxury Expedition

Autres navires : Clipper Odyssey • Deutschland

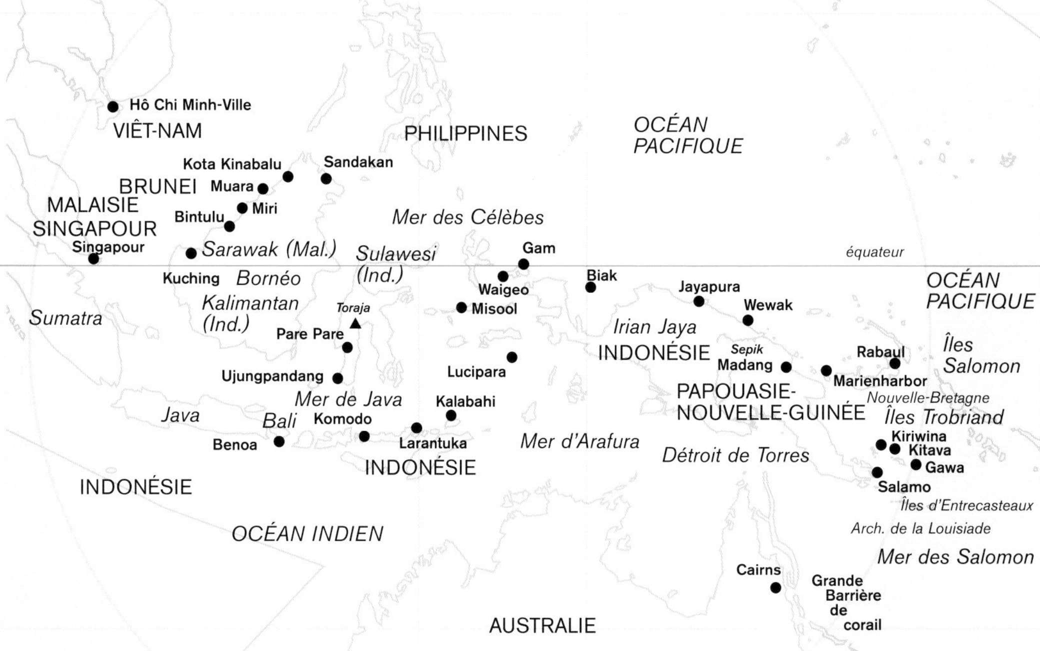

▼ L'*Hanseatic* aborde les merveilles intérieures de Bali, tels le temple de Pura Ulun Danu Bratan, au cœur d'un volcan (page précédente) ou le sanctuaire de Bezakih (ci-dessous) jusqu'aux petits ports et bourgades de l'Irian Jaya et de la Papouasie-Nouvelle-Guinée.

Chaque itinéraire de l'*Hanseatic* est un hymne à la croisière ! Ce petit navire de luxe se promène dans le monde entier, de l'Arctique à l'Antarctique, en passant par les plus insolites îles de l'océan Indien. Il propose toute l'année un festival de destinations des plus enrichissantes. Superbement équipé, il met à la disposition de ses passagers une particularité bien pratique. Il s'agit d'une grande pièce, une sorte de sas au ras de l'eau, qui permet d'accéder directement aux nombreux zodiacs du bord. Cette astuce architecturale est très fonctionnelle lorsqu'il s'agit dans les régions polaires de se débarrasser des combinaisons, bottes et gilets de sauvetage, mais s'avère bien commode également durant les escales des Tropiques.

L'un des plus remarquables et récents itinéraires de l'*Hanseatic* est incontestablement une croisière de trente et un jours, se déroulant à l'automne, qui le mène de Hô Chi Minh (ex-Saigon) jusqu'à Cairns, capitale du Queensland et ville-reine de la Grande Barrière de corail australienne. La traversée longe pratiquement la ligne de l'équateur d'ouest en est. Elle suit ainsi la route des populations asiatiques qui peuplèrent, au cours des millénaires, les îles de l'Indonésie et de la Mélanésie, avant de se lancer à l'assaut de la Polynésie.

Les passagers pressés commenceront la croisière à partir de Bali. Mais il vaudrait bien mieux caler plus de temps et débuter à Hô Chi Minh-Ville. Ainsi, on ne manquera pas les escales du nord de Bornéo : les *long houses dayaks* près de Kuching, la grande mosquée du sultan de Brunei, tous ces petits ports locaux des anciens rajahs blancs qui fleurent bon Conrad (comme Miri, Kota Kinabalu, à l'ombre de son immense volcan, ou Sandakan) et surtout les Célèbes (Sulawesi en indonésien). L'excursion dans le pays Toraja est inoubliable. On y assiste, au milieu de paysages de rizières, à des combats rituels de buffles et à leur sacrifice, sous l'œil impavide des momies des Anciens, ▶

▶ En Papouasie-Nouvelle-Guinée, on rencontre encore, à l'occasion de festivités, des guerriers portant leurs traditionnelles tenues de parade et de combat.

perchées dans les grottes des falaises alentour : dépaysement assuré ! Après une escale (ou un départ) à Bali, les voyageurs découvrent successivement Komodo et ses fameux lézards-dragons, ainsi que quelques-unes des Moluques les plus isolées. Ensuite commence le grand tour de la Nouvelle-Guinée par le nord. Les escales, le long du littoral de l'Irian Jaya indonésien et de la Papouasie-Nouvelle-Guinée, sont l'occasion de découvrir des ports et des bourgades où se mêlent les races et les cultures, la modernité et un quasi-âge de pierre. La croisière s'achève à travers l'archipel des Trobriand, dans la mer des Salomon. On y découvre les derniers vestiges d'une culture qui a donné à l'art mélanésien quelques-uns de ses plus beaux chefs-d'œuvre et quelques-unes de ses coutumes ancestrales. Le débarquement a lieu à Cairns, en Australie. Libre aux passagers qui le souhaitent de rester un peu sur place afin de goûter au plaisir des plages et des fameux fonds de la Grande Barrière de corail. Cette merveille s'étire sur 2500 kilomètres et compte environ neuf cents îles. Certaines sont spécialisées dans l'accueil des touristes et la pratique de la plongée. Ce récif géant compte près de quatre cents espèces de coraux et plus de mille cinq cents espèces de poissons et de crustacés…

▲ En débarquant sur la petite île indonésienne de Komodo, on peut côtoyer et photographier (sous la surveillance attentive d'un ranger protecteur!) quelques-uns de ces grands varans en liberté qui méritent presque leur surnom de « dragons ».

◀ Au cœur du pays des Toraja, aux Célèbes, les statuettes réalistes représentant les ancêtres semblent accoudées aux balcons de la falaise pour garder les tombeaux, ou, mieux, se satisfaire du sacrifice rituel des buffles, donné en leur honneur en contrebas.

◀ Dans l'archipel des Trobriands, les hommes aiment toujours célébrer la *kula*, une danse guerrière traditionnelle.

▶ Au nord de Bornéo, à l'escale de Bandar Seri Begawan, la grande mosquée Omar Ali Saiffudin, l'une des plus célèbres du monde, brille de son dôme entièrement recouvert d'or. Pas d'erreur : nous sommes bien au pays du sultan de Brunei, l'un des hommes les plus riches au monde…

LA LONGUE DESCENTE DU **FLEUVE BLEU**

Cet itinéraire permet de découvrir à fleur d'eau toute la Chine centrale et quelques-uns des musts de l'empire du Milieu. Mais le temps est compté : vous avez jusqu'à juin 2003 avant que les fameuses gorges du Yangtsé soient en partie submergées.

VICTORIA PRINCE
VICTORIA PEARL
VICTORIA 1 À 7

Principaux sites et escales :
Chongqing • Fengdu • Gorges de Qutang et de Wu • Zigui • Petites Gorges du Daming • Gorges de Xiling • Barrage de Sandouping • Wuhan • Jiujiang • Lushan • Huangshan • Nanjing • **Shanghai**

Catégorie : Premium

Autre navire :
Splendid China

L'une des croisières les plus fascinantes de tout le Sud-Est asiatique est la longue descente (ou remontée) du fleuve Bleu, en Chine, de Chongqing à Shanghai. Ce périple se déroule sur dix jours. Il vous permettra de mesurer toute l'importance du fleuve Yangtsé (Yangzi Jiang), le plus long du pays. Vous avez jusqu'à juin 2003 pour profiter pleinement de tous ses paysages fabuleux : au-delà de cette date, certains disparaîtront en partie sous les eaux.
La construction du barrage de Sandouping – gigantesque projet lancé par les autorités chinoises – est en effet entrée dans sa troisième phase depuis juin 2002 : celle de l'édification de la « nouvelle Grande Muraille de Chine ». Cette construction, longue de 3 kilomètres et haute de 185 mètres, aura pour fonction de contenir une véritable mer intérieure. Elle noiera en partie les fameuses Trois Gorges et remontera pratiquement jusqu'à Chongqing, là même où le général Jiang Jieshi (Tchang Kaï-chek) s'était réfugié, face à la menace des envahisseurs japonais, juste avant la Seconde Guerre mondiale.
La mise en eau définitive des gorges de Wu, de Qutang et de Xiling débutera après juin 2003, lorsque le barrage sera terminé. Les panoramas du fleuve Bleu supérieur seront alors transformés.

D'ici là, tant que les nouvelles écluses géantes n'auront pas été mises en service, les croisiéristes continueront la « longue croisière » tout en étant transférés, au barrage, d'un bateau sur un autre similaire, situé plus en aval. Grâce à cette astuce, ils pourront encore contempler les gorges, grande attraction de la Chine touristique. Au passage, ils remarqueront les différents chemins de halage, parfois taillés dans le roc, qui permettaient depuis des siècles aux jonques et aux sampans de franchir les rapides autrefois si dangereux. L'excursion dans les Petites Gorges de la rivière Daming est particulièrement pittoresque. Chacune des trois gorges voit défiler des paysages naturels de toute beauté entre des montagnes pouvant dépasser 1 000 mètres d'altitude.

Nombre de temples et de lieux-dits devraient être épargnés par la montée des eaux. Mais, au ras du fleuve actuel, les villages typiques seront noyés pour être

LE GRAND BARRAGE DE SANDOUPING

Les Trois Gorges permettent au Yangtsé de traverser les montagnes du Wushan. Si les bateaux y remontent le fleuve jusqu'au Sichuan depuis des siècles, cette route n'a vraiment commencé à être aménagée que vers 1960. Plusieurs grands travaux permirent d'abord de mieux canaliser les rapides jusqu'alors dangereux. Mais les grandes crues du célèbre fleuve pouvaient encore s'avérer très dévastatrices en aval. Aussi, un premier grand barrage fut-il aménagé à Gezhou en 1989, pacifiant le Yangtsé en amont jusqu'à Chongqing. Mais cela ne semblait pas suffisant. Les hautes autorités chinoises envisagèrent alors la construction d'un des plus grands barrages du monde. Son but : réguler au maximum le cours du fleuve, apporter de l'eau jusque dans le nord de la Chine, et exploiter une puissance électrique potentielle équivalente à celle de plusieurs dizaines de centrales nucléaires. Les travaux ont commencé en 1992. L'achèvement des nouvelles écluses est prévu pour début 2003. La mise en eau du barrage suivra en juin.

▲ Avant qu'elles ne soient en partie submergées par un lac artificiel de 640 kilomètres de long et de 160 mètres de profondeur créé par le nouveau grand barrage de Sandouping, les célèbres trois grandes gorges du Yangtsé, en particulier celle de Qu Tang (page 42), constituent encore l'un des plus beaux panoramas de Chine.

LE YANGZI

Le Yangtsé, ou Yang-Tsê Kiang, ou Yang-Tseu-Kiang, ou Yangzi Jiang, Yangzi pour les intimes, est le plus grand fleuve de Chine (5 800 km). Principale artère du pays, il prend sa source au nord du Tibet, dans les montagnes du Qinghai. Là, plusieurs cours d'eau descendent des glaciers et se rejoignent en un large fleuve alors nommé Tong Tian. Il s'écoule vers l'ouest comme son voisin du nord, le fleuve Jaune. Puis, rencontrant les grandes chaînes des Alpes du Sichuan, il emprunte – comme le Mékong et la Salouen – les longues et étroites vallées qui mènent vers le sud. Devenu le Jinsha, le fleuve se heurte aux hauts plateaux du Yunnan ; à travers plusieurs grands coudes successifs, il débouche sur la vaste cuvette intérieure du Sichuan. Il prend alors le nom de Yangtsé et traverse les dernières grandes barrières montagneuses des monts Wushan grâce aux fameuses trois grandes gorges. À Yichang, il débouche finalement sur l'immense plaine de la Chine centrale. Là, il évolue en plusieurs grandes boucles sur près de deux mille kilomètres, avant de rejoindre la mer par un grand estuaire, où se développe, depuis la fin du XIXe siècle, le port-métropole de Shanghai.

édifiés à nouveau sur les hauteurs. Jamais les paysages du fleuve Bleu n'auront autant mérité leur réputation de se situer entre deux époques et deux mondes. Jusqu'à aujourd'hui, les voyages sur le Yangtsé se limitaient le plus souvent à la visite des gorges. Il s'agissait de croisières somme toute assez rustiques, lancées à bord des grands navires de transport Orient Rouge. Ceux-ci ne faisaient que de courtes escales, débarquant et embarquant passagers et marchandises, au milieu d'une cohue indescriptible. La croisière s'achevait après le barrage de Gezhouba, une fois la métropole de Wuhan atteinte.

Depuis une quinzaine d'années, la plupart des nouveaux navires consacrés aux croisières se sont souvent bornés à reprendre ces itinéraires classiques, en y ajoutant parfois une excursion jusqu'à l'antique cité de Jinzhou. Les escales plus longues permettaient cependant de mieux découvrir le pays, et le confort des bateaux s'était nettement amélioré.
Mais ces programmes tronquaient la véritable croisière sur le Yangtsé, car après Wuhan, le fleuve côtoie bien des merveilles. Ainsi, désormais, grâce aux Victoria Cruises, on peut se rendre à la montagne observatoire du Lushan et s'arrêter à Tonling pour rejoindre, plus facilement que par n'importe quel autre itinéraire, les célèbres montagnes Huangshan. Sous leur manteau de brume perpétuelle, elles fascinent les artistes chinois depuis des millénaires ; quant aux Européens, ils ne peuvent que tomber sous le charme de ces décors quasi irréels. Et ce n'est pas tout ! Il y a aussi Nanjing, l'antique Yangzhou, si bien décrite par Marco Polo, et les magnifiques cités de Suzhou et Hangzhou, dans l'arrière-pays. Pour finir, Shanghai, l'une des métropoles les plus étonnantes de toute l'Asie contemporaine, témoignera avec panache et flamboyance de la rencontre entre la Chine du siècle dernier et la Chine contemporaine.
Cette croisière est un must enchanteur pour les passionnés de l'Asie, un must à consommer sans modération d'ici juin 2003 absolument.

▲ La croisière sur le Yangtsé se termine, à son arrivée sur la mer de Chine centrale, par le fabuleux spectacle de cette mégalopole asiatique en pleine mutation, Shanghai.

▶ Une croisière longue permet d'accéder à un monument naturel chinois au succès millénaire : les montagnes féeriques des Huangshan.

SUR LES FLEUVES **BIRMANS**

Des bateaux à vapeur s'engagèrent autrefois sur les fleuves birmans, en vue d'explorer l'intérieur de ce pays refermé sur lui-même. Les deux *Pandaw* vous proposent de suivre à nouveau leur sillage.

PANDAW I
PANDAW II

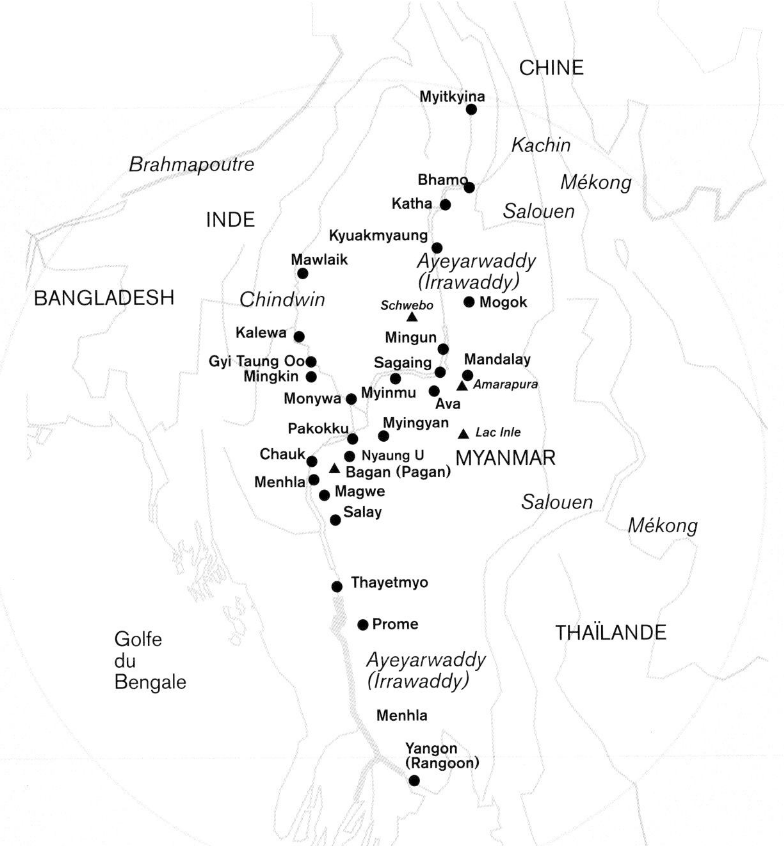

Principaux sites et escales :

Escales Irrawaddy

Mandalay • Pagan • Pakokku • Sameikkon • Myinmu • Sagaing • Amarapura • Ava • Mandalay • Mingun • Kyuakmyaung • Togaung • **Katha**

Escales Chindwin

Mandalay • Pagan • Pakokku • Monywa • Mingkin • Gyi Taung Oo • Kalewa • Mawlaik • **Mandalay**

Catégorie : Standard Plus

Autre navire : The Road of Mandalay

▶ En Birmanie, les fleuves ont toujours constitué les voies des invasions, des conquêtes, des cultures et des religions. Le long de l'Irrawaddy, les silhouettes des pagodes (page précédente) et des *stupas* de Pagan (ci-contre) semblent en témoigner pour l'éternité.

▲ Pour les découvrir, rien ne vaut les reconstructions minutieuses – même si elles ont fait place à d'autres techniques plus modernes – des fameux *steamers* de l'Irrawaddy Flotilla. Les deux navires *Pandaw* vous permettront de retrouver l'atmosphère de la Birmanie du siècle dernier… dans un confort très appréciable !

Les moussons sont passées, mais l'air est encore humide, un peu poisseux même. Vous vous trouvez au nord du golfe du Bengale, entre l'Inde et la Thaïlande, en Birmanie (Myanmar). Le pays accède largement à la mer, certes, mais il est encerclé de hautes montagnes, l'extrémité orientale de la chaîne de l'Himalaya et toutes ces cordillères très hautes qui plongent vers le sud, délimitant tous les grands fleuves du Sud-Est asiatique. La Birmanie donne l'impression d'un accès difficile, naturellement fermé, comme protégé par un enclos naturel.

La croisière débute à Madalay, au centre de la Bimanie, d'où part également une traditionnelle excursion sur le lac Inle. Le *Pandaw* (ou son plus jeune frère le *Pandaw II*) s'engage sur l'Irrawaddy, principale artère fluviale du pays. Depuis le pont-salon en bois de teck, la rive déroule pour vous des paysages de la Birmanie intemporelle. Les campagnes traditionnelles s'activent, dans la modestie et le contraste d'avec les villes.
Le bateau, arrivé à Pakokku, commence à remonter la Chindwin. Durant la Seconde Guerre mondiale, cette rivière donna son nom aux fameux commandos, les Chindits, que le colonel Wingate avait lancés sur les arrières de l'armée japonaise. Aujourd'hui, cette Birmanie centrale semble plus tranquille. Çà et là, sur la rive, on aperçoit un petit marché local.

Le passage à Monywa révèle des docks décatis et branlants, bruissant d'une activité qui semble continue. À Mingkin, ce sont les temples locaux entourés de vieilles maisons en bois qui forment l'attraction. Certains monastères, comme celui de Gyi Taung Oo, semblent comme directement sculptés dans un teck géant. Les statues de Bouddha y sont régulièrement recouvertes d'offrandes de feuilles d'or afin de s'assurer d'un meilleur karma. À Mawlaik, la modernité l'emporte brutalement sur les coutumes locales : on y trouve un golf à la pelouse irréprochable, entouré d'anciennes demeures coloniales. Heureusement, quelques éléphants au travail en lisière de forêt rappellent que vous êtes bien en Asie ! Après un retour à Monywa, il faut emprunter un pittoresque bus brinquebalant pour revenir à Mandalay.

85
INDONESIA

Mais ce n'est là qu'un seul des itinéraires du *Pandaw* et du *Pandaw II*, ces bateaux fluviaux à l'ancienne que Paul Strachan, en refondant l'Irrawaddy Flotilla, fait naviguer sur l'Irrawaddy et la Chindwin. Le confort est rustique, mais chaque cabine dispose d'une douche privée et de moustiquaires aux fenêtres, petit détail qui a son important dans cette contrée... Le service à bord est très satisfaisant.

Les croisières en Birmanie intérieure se déroulent sur huit à treize jours. L'option longue permet de remonter jusqu'à Bhamo, à la limite du pays kachin... et des territoires autorisés. Les paysages y sont différents car le fleuve s'y taille d'impressionnants défilés. Les hommes aussi y ont imprimé leur travail : les plaines à rizières s'enchaînent à perte de vue.

Quel que soit l'itinéraire choisi, votre bateau fera escale sur l'immense site de Pagan. Cette ville est l'ancienne capitale historique du premier véritable royaume birman. Elle date du xe siècle, même si elle fut en fait fondée en 107 de notre ère, par des tribus venues des plateaux chinois et tibétains. Pagan est une perle à visiter plutôt deux fois qu'une : pagodes, temples et stupas s'y côtoient dans des styles si différents que l'on y perd quelquefois son birman ! La région n'est pas surnommée pour rien « la plaine aux mille pagodes » ou « la plaine aux deux mille temples »... Le voyage, commencé à Yangon (Rangoon), le grand port et aéroport de Myanmar, se termine à Mandalay, grande ville moderne entourée de temples et de sites historiques, qui fera le lien entre le passé et le présent birman.

◀ De Rangoon (Yangon), dans le delta sur la mer d'Andaman, jusqu'à Bhamo, à l'extrême-nord de l'Irrawaddy navigable, c'est toujours un va-et-vient continuel de taxis flottants locaux et rustiques et de petits bateaux de toutes sortes.

▶▶ Dans le brouillard tropical du petit matin, le temple du Dhammayangyi est l'un des innombrables sanctuaires qui parsèment la plaine de Pagan sur des dizaines de kilomètres.

L'IRRAWADDY FLOTILLA

Cette compagnie fut fondée en 1865 par une famille écossaise. À partir de 1920, elle devint l'une des plus grandes flottes fluviales privées du monde, assurant le transport des passagers et des marchandises sur tous les fleuves birmans ! Ses *steamers*, des bateaux à vapeur équipés de roues à aubes, pouvaient atteindre 100 mètres de long. Ils accueillaient plus de quatre mille passagers de pont et quelques dizaines de privilégiés en cabines. Leurs capitaines étaient tellement considérés qu'une célèbre boutique de Mandalay arborait dans sa devanture : « Silk mercers to Kings and Queens of Burma and to the Captains of steamers ». La plupart de ces bateaux se sabordèrent au moment de l'invasion japonaise en 1942. La compagnie cessa officiellement ses activités en 1946, jusqu'à ce que Paul Strachan ressuscite la marque, en 1994, uniquement pour ses croisières découverte.

World Discoverer

DE LA **PÉNINSULE ANTARCTIQUE** À LA MER DE SCOTIA

Le « boulevard de l'Antarctique » attire chaque hiver plus de dix mille croisiéristes ! Le départ se donne à la pointe de l'Amérique du Sud, sur la légendaire Terre de Feu.

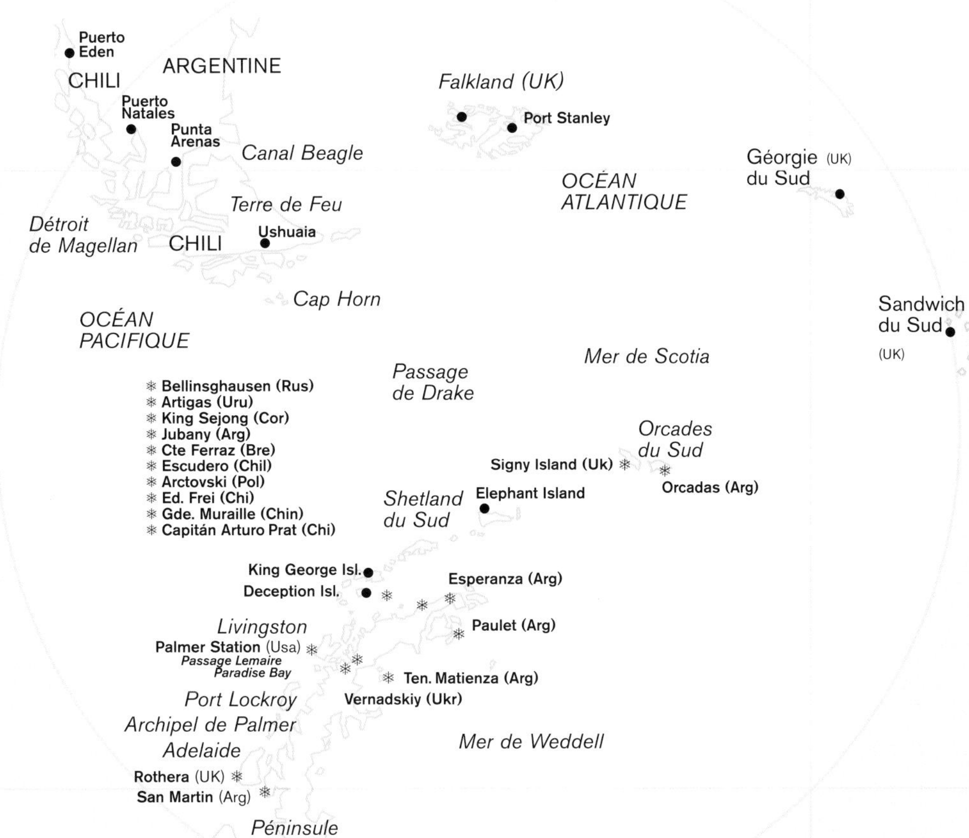

WORLD DISCOVERER

Principaux sites et escales : **Ushuaia** • Falkland • Westpoint • Carcass Island • Port Stanley • Mer de Scotia • Géorgie du Sud • Orcades du Sud • Shetland du Sud • Elephant Island • Péninsule Antarctique • King George Island • Deception Island • Passage Lemaire • Paradise Bay • Passage de Drake • Punta Arenas • **Ushuaia**

Catégorie : Premium Plus Expedition

Autres navires : Bremen • Clipper Adventurer • Explorer • Hanseatic • Marco Polo • Orlova • Professor Molchanov • Professor Multanovsky • Royal Princess

LA PÉNINSULE ANTARCTIQUE

Le Nord de l'Antarctique, formé de montagnes et de glaciers, semble comme un doigt immense pointé vers l'océan. Cette péninsule, sauvage presqu'île glacée, peut être découverte lors d'une croisière qui inclura également un tour des Shetland du Sud. Ainsi vous approcherez l'immensité du grand continent blanc, qui reste libre de glaces au nord-ouest durant l'hiver austral.
Après avoir dépassé la pointe sud-américaine, affronté le cap Horn, vécu la rencontre houleuse du Pacifique et de l'Atlantique, parcouru plus de mille kilomètres, vous pourrez enfin succomber aux fantastiques paysages de l'Antarctique.
Certains navires permettent également de découvrir la Géorgie du Sud, les Orcades du Sud, voire les Sandwich du Sud.
Les conditions climatiques de ces régions peuvent être difficiles, même durant la saison la plus clémente. On assiste quelquefois à une remontée de la banquise, qui forme alors une barrière naturelle infranchissable autour des paysages puissants.

▲ Le *World Discoverer* est l'un des rares bateaux parcourant les archipels de la mer de Scotia. En Géorgie du Sud, on trouve encore des épaves des baleiniers qui ratissaient autrefois la région.

La péninsule Antarctique doit son surnom de « boulevard de l'Antarctique » à sa navigabilité et à sa position par rapport au grand continent blanc, et surtout par sa proximité relative de la Terre de Feu. Durant l'été austral, elle est en grande partie dégagée de la banquise hivernale.

Cette région du globe attire chaque année, entre décembre et mars, plus de dix mille touristes. Ils ont franchi le passage de Drake et le gros temps des quarantièmes rugissants, après un départ en Terre de Feu, en général d'Ushuaia. Les premiers paysages sont ceux de montagnes enneigées, culminant parfois à 4 500 mètres. Les glaciers coulent vers l'océan, en se cassant parfois avec fracas. Viennent ensuite des chapelets d'îles volcaniques, véritables paradis pour les phoques, les manchots, les oiseaux... et les bases scientifiques ! Même les navires non *ice class* peuvent s'aventurer aussi loin. À partir de l'archipel des Shetland du Sud et jusqu'au passage Lemaire, plus au sud encore, les conditions météo doivent être meilleures. Mais il ne faut jamais oublier que dans ces régions, toute expédition relève un peu de l'aventure. La banquise peut remonter brusquement, et ce jusqu'à Paradise Bay.

Il est recommandé de choisir pour cette croisière un navire de moins de quatre cents passagers. Sinon, le risque est de ne profiter du spectacle qu'au travers de ses jumelles, depuis le pont ! Il ne vous resterait plus alors qu'à ramener nombre de cartes postales, achetées dans le grand bazar du souvenir qu'est devenue la station russe de Bellingshausen.

L'idéal, en fait, est d'embarquer sur un vrai navire-expédition plutôt qur sur un navire de pure croisière. À bord de grands zodiacs, on peut alors s'approcher des plus importantes colonies de phoques et de manchots du monde, sans même les déranger ! C'est aussi le moyen le plus sûr pour descendre encore, jusqu'au chenal Lemaire, et atteindre la fameuse Paradise Bay. Ce fjord profond est encerclé de sommets aigus, culminant à 2 000 mètres. Cette mer était jusqu'au début du XXe siècle encore parcourue par des hordes ▶

LES BASES DE LA PÉNINSULE

Les bases de recherches scientifiques se sont multipliées depuis plusieurs décennies le long des côtes du continent antarctique.
Mais du fait de sa proximité avec la Terre de Feu, c'est la péninsule antarctique qui en abrite le plus grand nombre.
Sur King George Island, ces bases sont quasiment alignées les unes à côté des autres ! L'une d'elles, à Bellingshausen, a même été recyclée en grand bazar pour touristes...

Qu'il s'agisse de bases argentines, chiliennes, russes..., ce sont en tout plusieurs milliers de résidents permanents qui sont installés en terre antarctique, avec parfois femmes et enfants.
Ces bases ne gênent semble-t-il guère la faune environnante, qui reste à proximité.
Lors d'une croisière, leur visite pourra vous révéler d'étranges histoires, comme celle d'Almirante Brown, incendiée en 1984 par un savant devenu fou, ou celle de Port Lockroy, transformée en base secrète durant la Deuxième Guerre mondiale pour espionner les navires allemands.

de baleiniers. Aujourd'hui, on vient y admirer les majestueux cétacés, qui n'ont plus rien à craindre. Seules quelques stations de pêche fantômes, quelques machineries abandonnées témoignent encore de l'activité passée.

Il faudrait encore pouvoir étendre le voyage à tous ces archipels, entre grand Atlantique sud et mer de Scotia. Ils sont comme les avant-postes de l'Antarctique. Ainsi, les austères Falkland (les tristement célèbres îles Malouines d'il y a une vingtaine d'années) comptent déjà des paysages typiques de l'Antarctique. Tout comme les archipels de la Géorgie du Sud, où sévit la banquise. Près de Gritvyken, la tombe de Sir Ernest Shackelton est là pour rappeler les conditions extrêmes de cette région. On y raconte comment le navire *Endurance* fut pris par les glaces et y resta prisonnier. C'est grâce au courage du célèbre capitaine britannique, qui batailla seul sur la banquise durant des mois pour rejoindre la terre ferme, que des secours s'organisèrent pour récupérer l'équipage.

Les Orcades du Sud pourront être l'ultime rendez-vous. Longtemps surnommées « les îles inaccessibles », elles abritent pourtant, à Laurie Island, la plus ancienne station météorologique de l'Extrême-Sud.

Seuls quelques rares navires expéditions peuvent vous offrir un tour complet de ce qui est une des régions de croisières les plus fascinantes au monde. Le *World Discoverer* est l'un de ceux-là. Son équipage et ses conférenciers de bord figurent depuis des années parmi les meilleurs spécialistes de cette terre et de cette mer d'exception.

▲ La longue péninsule Antarctique est la partie du grand continent austral la plus proche de la pointe de l'Amérique du Sud. Seuls certains petits navires spécialisés comme le *World Discoverer* permettent de s'en approcher. Les beautés naturelles, entre eau, icebergs, banquise, colonies de manchots et de phoques, se découvrent notamment grâce à une flotte de zodiacs.

AUTOUR DU CONTINENT **ANTARCTIQUE**

Cette double croisière rarissime fait le tour complet de l'Antarctique en soixante-six jours grâce à des brise-glace comme le *Kapitan Khlebnikov*. Elle dévoile tous les panoramas sauvages et étonnants du grand continent blanc.

KAPITAN KHLEBNIKOV

Principaux sites et escales :

De Lyttelton à Ushuaia

Lyttelton • Auckland Isl. • Balleny Isl. • Mertz Glacier • Casey St. • Mirny St. • Davis St. • Larsemann Hills • Amery Ice Shelf • Mawson St. • Auster • Proclamation Isl. • Syowa St. • Lazarev Ice Shelf • Cape Norwegia • Neumayer St. • Mer de Weddell • Orcades du Sud • Elephant Isl. • Deception Isl. • Shetland du Sud • Passage de Drake • **Ushuaia**

De Ushuaia à Lyttelton

Ushuaia • Péninsule Antarctique • Deception Isl. • Neumayer St. • Passage Lemaire • Vernadskiy st. • Crystal Sound • Rothera St. • Peter Isl. • Phantom Coast • Siple Isl. • Cape Burks • Bay of Whales • Ross Ice Shelf • McMurdo St. • Scott St. • Cape Evans • Dry Valley • Cape Halett • Cape Adare • Balleny Isl. • Campbell Isl. • **Lyttelton**

Catégorie : Standard Plus Expedition

C'est en 1996 seulement qu'eut lieu le premier tour complet autour du continent Antarctique. Il fut organisé par le tour-opérateur spécialisé Quark Expeditions et se déroula à bord de l'un des brise-glace russes de la série *Kapitan Khlebnikov*. À l'occasion de la deuxième circumnavigation prévue pour 2002-2003, les mêmes partenaires ont planifié un itinéraire quasi semblable.
Leurs bateaux sont les seuls capables de pratiquer des mers et des rivages aussi imprévisibles. Les conditions climatiques y sont si changeantes que l'on risque à tout moment de rencontrer des icebergs, dont certains mesurent plus de 100 kilomètres carrés. Aussi, le tracé de la croisière se détermine-t-il plus ou moins au jour le jour, en fonction de la météo et des obstacles. Si le continent est le plus souvent recouvert d'une couche de glace épaisse de 3 kilomètres, la banquise fluctue et aucune cartographie exacte de la côte n'existe. On ne sait jamais trop ce que l'horizon réserve : côtes, golfes, plates-formes, glaciers géants, parfois mouvants, ou même archipels que l'on ne distingue pas immédiatement de la banquise. Toutes ces conditions réunies rendent parfois la navigation périlleuse, mais c'est le prix à payer pour accéder à ces panoramas d'un autre monde.

Malgré sa rigueur, l'Extrême-Sud n'est pas inhabité pour autant. Outre quelques colonies de manchots empereurs et de pingouins d'Adélie, vous y croiserez des bases, tous les 500 kilomètres environ. L'Antarctique est en effet un endroit rêvé pour les scientifiques, un immense laboratoire naturel, une sorte d'Eldorado, où les études se multiplient particulièrement depuis 1957. On y étudie la météorologie, la climatologie et la glaciologie, bien sûr, mais aussi la géologie, ainsi que la biologie marine et terrestre, car les conditions extrêmes permettent d'observer l'adaptation du monde vivant. La latitude exceptionnellement haute du grand continent blanc rend également possible l'étude de la couche d'ozone, tandis que sa proximité avec le pôle magnétique attire les géophysiciens. Sur la base scientifique néo-zélandaise Mac Murdo, on compte actuellement plus de mille cent résidents, tandis que les Américains ont construit au pôle Sud une seconde base Amundsen-Scott. ▶

▶ Une véritable circumnavigation antarctique n'est possible qu'à bord d'un brise-glace, car les autres navires, même spécialisés, se retrouvent souvent piégés par une mer et une banquise trop changeantes. Le *Kapitan Khlebnikov* se frayera un chemin tout autour du grand continent blanc, où l'on croisera les immenses colonies de phoques, morses et autres manchots (ci-dessous).

Ultramoderne, elle aura coûté la bagatelle de 160 millions de dollars. Son petit aéroport permet bien des échanges : chaque été, plus de 250 avions y font des navettes ! Mais tout autour de ces oasis, l'Antarctique reprend ses droits : sur une surface grande comme vingt-quatre fois la France, tout n'est que désert blanc. En hiver, la température peut descendre à –60 °C, et les perspectives infinies sont balayées par des vents puissants. Paradoxalement, l'été, on peut parfois sortir en manches de chemise !

Ce tour de l'Antarctique est organisé au départ de Lyttelton, en Nouvelle-Zélande. En pratique, il se divise en deux segments qui se rejoignent de l'autre côté, au niveau de Deception Island. Les passagers peuvent y débarquer s'ils souhaitent rejoindre Ushuaia, grâce à *Professor Multanovski*, un petit navire scientifique russe affrété par Quark Expeditions. D'autres passagers en profitent pour embarquer. La seconde partie de la circumnavigation part dans le sens inverse des aiguilles d'une montre, atteignant le continent à la hauteur du pôle Sud magnétique, situé en face de la station française Dumont d'Urville. Après avoir contourné la péninsule Antarctique, le *Kapitan Khlebnikov* revient par la mer d'Amundsen, puis la mer de Ross.
Cette expérience s'enrichit en cours de route avec des visites de bases et des survols en hélicoptère. Ainsi, la banquise, les glaciers et la vie dans cette contrée hostile et désolée n'auront presque plus aucun secret pour vous.

LE CONTINENT ANTARCTIQUE

L'Antarctique, parfois nommé le « sixième continent », couvre la colossale surface de 13 millions de kilomètres carrés. Il constitue la partie émergée de la plaque tectonique du même nom, qui s'est séparée de la plaque de Gondwana, il y a près de 70 millions d'années. Arrivée à ces latitudes, une couche de glace permanente commença à la recouvrir et à s'épaissir, dissimulant en partie son relief véritable. Le point le plus haut du continent dépasse les 4 800 mètres : il s'agit du mont Vinson.
Au fil du temps, les deux grands golfes situés entre l'Antarctique oriental et l'Antarctique occidental sont devenus de véritables plates-formes glaciaires permanentes, les ice-shelfs de Ronne et de Ross, d'où se détachent parfois des icebergs aussi grands que la Corse.

▶ Le *Kapitan Khlebnikov* combine la sûreté et la souplesse d'un brise-glace avec les possibilités de visites détaillées des sites les plus reculés grâce à sa flotte de zodiacs. Le malheureux explorateur Ross, dont on pourra encore visiter la cabane comme s'il l'avait quittée hier (ci-dessus), avait, lui, bénéficié de pauvres moyens pour son assaut antarctique.

▶▶ À travers la banquise qui prolonge la mer de Ross, on commence à distinguer le volcan Erebus qui profile toute sa magnificence sur cet horizon antarctique.

ENTRE **TERRE DE FEU** ET CONTRÉES GLACÉES

Entre janvier et mars, alors que les grands paquebots doivent faire l'impasse sur de belles escales, le petit *Song of Flower* se glisse dans les plus étroits passages du Chili et de la Terre de Feu.

SONG OF FLOWER

Principaux sites et escales :
• **Buenos Aires** • Montevideo • Mar del Plata • Puerto Deseado • Port Stanley • Punta Arenas • Ushuaia • Cap Horn • Puerto Natales • Angostura Inglesa • Laguna San Rafael • Chacabuco • **Puerto Montt**

Catégorie : Premium Plus

Autres navires : Bremen • Clipper Adventurer • Deutschland • Explorer • Marco Polo • Norwegian Dream • Paloma • Silver Cloud • Silver Shadow • Zenith

Magellan lutta longtemps avant d'accéder au passage tant convoité vers l'océan Pacifique. Il ne trouva son chemin qu'après plusieurs mois d'errance, dans un dédale d'îles, de détroits, de fjords, de glaciers étincelants et de terres dénudées. Aujourd'hui, presque toutes les compagnies maritimes ont redécouvert que cette région d'Amérique du Sud offre durant l'été austral – l'hiver de notre hémisphère Nord – des « croisières grand écran ».

Comprise entre la Patagonie argentine et la Terre de Feu à l'est, flanquée, sur son côté ouest, par les fjords et les glaciers chiliens, cette zone offre des paysages naturels aussi impressionnants que sauvages et désertiques. Ici, les frontières ont épousé une géographie assez complexe et quelque peu labyrinthique, en suivant la ligne de la cordillère des Andes, très proche du Pacifique côté chilien. Aussi, de nombreuses rotations régulières sont-elles désormais organisées, entre Buenos Aires, en Argentine, au nord sur l'estuaire de la Plata, et Puerto Montt, côté Chili. Ce sont là de bonnes bases de départ et d'arrivée, dotées d'aéroports internationaux qui permettent des transferts assez faciles. En cours de croisière, deux autres ports-aéroports peuvent également servir d'intermédiaires : Ushuaia, tout au bout de la Terre de Feu partagée par l'Argentine et le Chili, et Punta Arenas, au début du canal Beagle, au Chili. Le détroit de Magellan est le débouché, plusieurs centaines de kilomètres plus à l'ouest, sur l'océan Pacifique. Le cap Horn quant à lui est le point situé le plus au sud. Il se trouve juste avant le début du passage de Drake, annonçant la péninsule Antarctique. Même si cette proximité se mesure tout de même en centaines de miles, elle entraîne cependant la présence, entre décembre et mars, de navires en tout genre qui viennent souvent amorcer ou terminer leurs campagnes antarctiques dans ces eaux.

▲ Le *Song of Flower* est l'un des rares navires capables de se faufiler dans le fjord tortueux de Puerto Natales. Cette petite escale chilienne permet de découvrir l'un des plus riches parcs naturels de toute l'Amérique du Sud, celui des Torres del Paine (page précédente).

▶ À partir d'Ushuaia, quelques-uns des plus beaux glaciers de la Terre de Feu commencent à apparaître.

DÉTROIT DE MAGELLAN, CANAL BEAGLE ET CAP HORN

Cette région est aujourd'hui une zone touristique en plein essor. Mais, si elle est bien connue, elle s'avère cependant complexe à naviguer. Du côté Atlantique, c'est par le canal Beagle que l'on pénètre dans ce labyrinthe. Le tortueux périple s'étend sur près de 600 kilomètres, entre les dernières cordillères sud-américaines et la vaste Terre de Feu, prolongement venteux de la Patagonie. Vient ensuite un archipel au bout duquel se trouve finalement le cap Horn, localisé sur la toute dernière petite île de l'Amérique du Sud. Du côté Pacifique, les navires remontent le long de la côte chilienne par une sorte de passage très étroit. Là, comme en Alaska maritime, la Cordillère plonge directement dans l'océan, créant une série de fjords magnifiques.

▶ Parmi les différentes croisières possibles, on accordera un intérêt particulier à celles du *Song of Flower* de la compagnie Radisson Seven Seas Cruises. Ce navire embarque à peine deux cents voyageurs. Grâce à sa petite taille, il peut ainsi faire escale là où d'autres doivent continuer leur chemin. Il permet par exemple la remontée du long fjord qui mène à Puerto Natales et ouvre sur les somptueux paysages du parc de Torres del Paine. Le *Song of Flower* est aussi l'un des rares à pouvoir se faufiler dans l'étroit passage intérieur de l'Angostura Inglesa. Il passe par Puerto Eden et fait un crochet jusqu'aux glaciers qui viennent se briser dans les eaux de l'Extrême-Sud de la laguna San Rafael. Il vous assure de ne manquer aucune des montagnes côtières chiliennes, aucun des petits ports de la grande île de Chiloe. Côté Atlantique, il vous emmène jusqu'aux îles Falkland et en Terre de Feu. Si vous choisissez d'embarquer durant l'une de ses campagnes d'hiver, sachez qu'il part une fois de Buenos Aires, ce qui permet d'ajouter la visite des réserves naturelles de Puerto Madryn et de découvrir un peu la Patagonie.

Durant cette croisière, vous vous sentirez peu à peu fondre dans l'immensité, tantôt écrasé par des reliefs gigantesques, tantôt apaisé par de vastes étendues. Vous baignerez dans un univers sauvage le plus souvent silencieux, simplement rythmé par le vent et la houle. Puis vous approcherez le bruit et la foule des grandes colonies de phoques et de manchots du canal Beagle, les baleines de l'océan… ainsi que la désolation rugissante du cap Horn.

▲ Ushuaia, le port et l'aéroport les plus importants de la Terre de Feu argentine, est une cité en plein développement mais quelque peu anarchique, à mi-chemin entre une bourgade pionnière alléchée par l'odeur du pétrole et une petite capitale administrative de ce nouveau bout du monde.

▶ Dès Puerto Madryn, les grandes colonies de manchots font leur apparition. On en trouvera le long du canal Beagle et du détroit de Magellan.

▶▶ Après le passage des premiers fjords du Chili, tous les navires viennent s'embosser devant les glaciers de la Laguna San Rafael, qui chutent par morceaux, avec fracas, dans la mer glacée.

LES **CARAÏBES** SOUS LE VENT

Pour découvrir les Grandes Antilles en dehors des sentiers battus et vivre une croisière absolument inoubliable, embarquez à bord de l'un des plus beaux et des plus grands voiliers de ce siècle, le *Sea Cloud*.

SEA CLOUD

Principaux sites et escales :
La Havane • Matthew Town • Inagua • Bahamas • Cockburn Town • San Salvador • Grand Turk • Cap-Haïtien • Santiago de Cuba • Port Antonio • Montego Bay • **La Havane**

Catégorie : Luxury Sailing Yacht

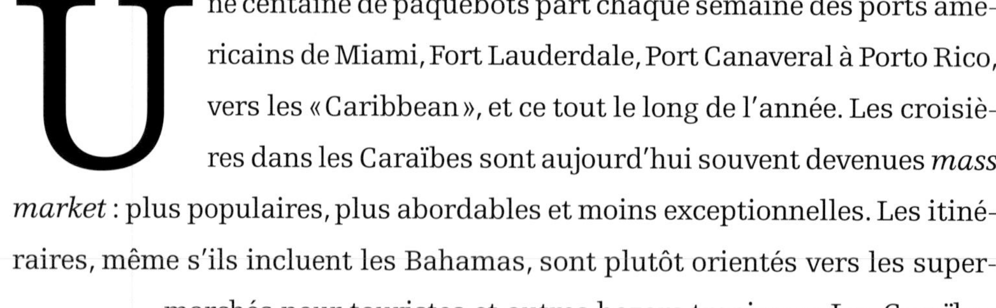

Une centaine de paquebots part chaque semaine des ports américains de Miami, Fort Lauderdale, Port Canaveral à Porto Rico, vers les «Caribbean», et ce tout le long de l'année. Les croisières dans les Caraïbes sont aujourd'hui souvent devenues *mass market* : plus populaires, plus abordables et moins exceptionnelles. Les itinéraires, même s'ils incluent les Bahamas, sont plutôt orientés vers les supermarchés pour touristes et autres bazars tropicaux. Les Caraïbes recèlent pourtant quelques témoignages culturels et historiques remarquables. Pour aborder ces îles sous un autre angle et voyager différemment, embarquez donc sur l'un des superbes voiliers de Sea Cloud Kreuzfahrten.

▼ L'authentique et confortable *Sea Cloud*, véritable grand voilier « vintage », est le navire idéal pour remonter dans l'histoire des Caraïbes, de la première colonisation espagnole à Cuba et notamment à Santiago (page précédente), aux convulsions de la Révolution française à Saint-Domingue, en passant par l'indépendance d'Haïti.

Une croisière dans les Caraïbes à bord d'un giga-paquebot ne vous tente pas ? Vous n'avez pas envie d'escales-shopping en compagnie de quelques milliers d'autres ? Le *Sea Cloud* sera votre bateau. Ce magnifique yacht privé fut construit en 1931 pour une riche héritière américaine. Grâce aux soins intensifs de Sea Cloud Kreuzfahrten, le voilier a conservé sa décoration, son appareillage et sa superbe d'origine. Il est si beau que certains en oublient même qu'il n'est pas le but en soi du voyage ! Sa clientèle est raffinée, presque sélecte. Seule une soixantaine de passagers peut embarquer. Un équipage équivalent est nécessaire. Il s'affairera pour vous sous les matures gigantesques et les 3000 mètres carrés de voiles.

Quand un spécialiste du voyage haut de gamme comme le Français Apsara organise un tour des Grandes Antilles à bord de cette merveille, la croisière «caribbean» prend une toute autre tournure ! L'itinéraire permet de découvrir les anciennes villes historiques et s'imprégner de la culture locale. À La Havane, vous parcourrez la vieille ville, où flotte un parfum de nostalgie coloniale. On peut y visiter la maison d'Hemingway –qui semble là pour témoigner que le lieu est bien un petit joyau– avant de ▶

▶ Au Cap-Haïtien, on visitera les fantastiques ruines du palais de Sans-Souci et de la citadelle Laferrière (ci-contre), ultimes témoignages de la fameuse tragédie du roi Christophe.

pousser jusqu'au charmant village de Vinales, fondé au XIXe siècle. La seconde étape cubaine est Santiago de Cuba, l'une des plus vieilles villes de l'île. Fondée en 1516 par les Espagnols, elle fut longtemps hantée aussi par des pirates français et anglais. À Cap-Haïtien, petite capitale de la côte nord d'Haïti, on retrouve l'atmosphère de la « grande » colonie française qu'elle fut au XVIIIe siècle. Celle qu'on appelait autrefois le « Paris des Antilles » est aujourd'hui plutôt décatie, mais toujours haute en couleur. Près de la ville subsiste une sorte de Bastille noire, la citadelle Lafferière, forteresse édifiée sur un piton par le roi Christophe pour se défendre des troupes françaises.

Plages et lagons sont également largement explorés. Le voilier peut en effet se promener en toute quiétude là où les paquebots ne viennent pas à passer. Il longe quelques-unes des plus belles et insolites Petites Bahamas, comme Matthew Town sur Grande Inagua et Cockburn Town sur San Salvador. Son périple vous emmène jusqu'à l'île la plus reculée des Bahamas, San Salvador, où Christophe Colomb foula le premier le sol de ses « Indes occidentales »... Vous sortirez palmes et tuba à l'approche des coraux de Turks et Caïcos, puis la serviette de plage à la Jamaïque : le *Sea Cloud* choisit de débarquer ses passagers dans la somptueuse baie de Port Antonio, havre paradisiaque de yachtmen distingués et connaisseurs, qui servit de toile de fond au tournage de quelques scènes d'un *James Bond*. Puis, vous emprunterez le chemin de Ocho Rios et Montego Bay afin de reprendre l'avion jusqu'à La Havane. Quitter ces îles et ce bateau sera sans doute difficile, mais leur souvenir restera gravé pour toujours dans votre mémoire.

Lorsque le *Sea Cloud* fait escale à la Jamaïque, c'est d'abord dans la charmante baie de Port Antonio, restée discrète malgré son apparition dans un film de James Bond...

CARIBBEAN, GRANDES ET PETITES ANTILLES

Pour les Américains, le terme « caribbean » désigne à peu près tout ce qui se trouve dans et autour de la mer des Antilles. Il englobe ainsi les îles, mais aussi, sur le continent, le Yucatan et les côtes de certains pays d'Amérique centrale, voire du Sud.
Parmi les îles, on distingue Petites et Grandes Antilles. Les Petites Antilles se composent des îles du Vent et des îles Sous-le-Vent.
Les Grandes Antilles sont formées par Cuba, Haïti, la République Dominicaine, Porto Rico et la Jamaïque. Comme leur nom l'indique, elles couvrent de vastes territoires, où les montagnes s'élèvent parfois à 3 000 mètres d'altitude. Les Grandes Antilles furent colonisées les premières, d'abord par les Espagnols, puis par les Français. Aujourd'hui, on y compte plus de 30 millions d'habitants.

PETITES ANTILLES
DE RÊVE

Abordées sous l'angle d'un gigantesque navire de croisière, les Petites Antilles, si idylliques soient-elles, seraient en partie gâchées. Pour visiter ces îles magiques, il faut un bateau digne des rêves les plus merveilleux.

SEA CLOUD II

Principaux sites et escales :
• **St John's** • Sir Francis Drake Channel • Jost Van Dyke • Gustavia • Road Bay • Soufrière • St George's • Port of Spain • Scarborough • Bequia • Sandy Island • Portsmouth • **St John's**

Catégorie : Luxury Sailing Yacht

Autres navires : Club Med • Le Ponant • Royal Clipper • Windsurf

Tropicales et volcaniques, les Petites Antilles se déroulent en arc de cercle depuis Porto Rico, au nord, jusqu'aux côtes du Venezuela, au sud. Chacune des entités qui la composent possède sa culture et son histoire. Aussi, il serait dommage pour les visiter d'embarquer à bord de l'un de ces gigantesques hôtels de luxe flottants transportant deux mille à trois mille cinq cents passagers. Pour eux, il a fallu aménager d'impressionnantes stations de débarquement, sur lesquelles se sont agglutinées des masses de boutiques de souvenirs. Une croisière sur l'un de ces navires privilégie le shopping aux excursions culturelles, et les escales naturelles sont réduites, du fait de l'approche impossible de certains ports et lagons.

La meilleure façon d'aborder ce petit paradis est de se rendre à St John's, la capitale d'Antigua, pour embarquer sur le grand voilier *Sea Cloud II*. Lancé depuis peu par la compagnie allemande Sea Cloud Kreuzfahrten, ce bateau confortable, sélect et neuf, a été conçu dans le même esprit d'authenticité qui a conditionné la préservation du premier *Sea Cloud*. D'un volume intérieur de près de 4000 tonneaux, il a été prévu pour moins de cent passagers. Grâce à ses 5,30 mètres de déplacement seulement, il permet une libre approche des côtes. La croisière s'enrichit alors de nombreuses escales, en évitant les concentrations de touristes. Sortant des sentiers battus, elle révèle les Petites Antilles en donnant accès à de véritables paradis terrestres, plages de cocotiers désertes, récifs de coraux poissonneux et villages de pêcheurs traditionnels. Des zones protégées, des parcs nationaux et des réserves sous-marines s'échelonnent le long de ce territoire. Le voilier sera la meilleure des manières – authentique et écologique ! – d'y parvenir.

◀◀ Au cœur des Grenadines, la toute petite île de Sandy Islands est le havre favori de petits yachts… et d'un grand voilier comme le *Sea Cloud II*.

◀ Au pied des pitons de la Soufrière, au sud-ouest de Sainte-Lucie, les plages sont toujours dominées par les ruines des anciens établissements thermaux où les soldats français de Louis XV venaient se reposer entre deux combats contre les Anglais.

Le *Sea Cloud II* se dirige d'abord vers les îles Vierges américaines, mais par Jost Van Dyke au lieu de Charlotte Amalie, la capitale, devenue le grand bazar des Caraïbes. On peut ensuite profiter du Sir Francis Drake Channel, avec ▶

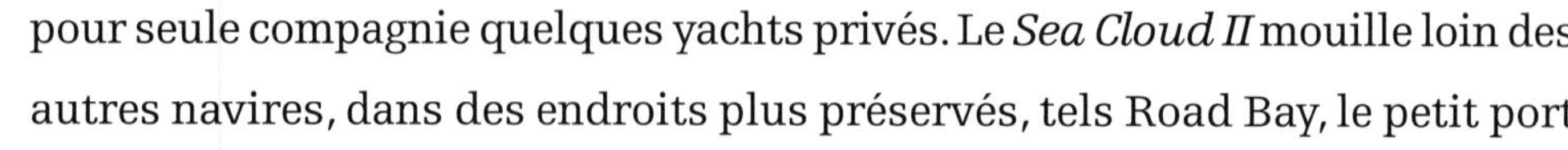

pour seule compagnie quelques yachts privés. Le *Sea Cloud II* mouille loin des autres navires, dans des endroits plus préservés, tels Road Bay, le petit port d'Anguilla, et Gustavia, le chef-lieu très chic de Saint-Barthélemy. La route pleines voiles se poursuit avec le splendide panorama de l'archipel des Leeward. Viennent ensuite les Windward, jusqu'à Sainte-Lucie. Le bateau s'amarre entre les deux superbes pitons de la Soufrière, alors que les paquebots s'entassent à Castries, un port qui frise la saturation. À Saint George's, le *Sea Cloud II* mouille dans la magnifique baie de Grenade, l'île aux épices. Plus au sud, il permet de découvrir Port of Spain, la capitale de Trinidad, qui vous offrira le plus beau carnaval de toutes les Caraïbes, si d'aventure vous passez par là au bon moment. Scarborough, à Tobago, n'est pratiquement jamais desservie par les paquebots traditionnels. Le *Sea Cloud II* s'y arrête, car cette petite île passe pour être la plus belle des Antilles. Elle fera assurément le bonheur des amateurs de fleurs – on y trouve hibiscus, anthuriums, bougainvilliers… – et de golf !

Le retour s'effectue par les Grenadines, Sandy Island et la superbe St Margaret Bay, à Bequia. À la Dominique, célèbre pour ses réserves arawaks et ses forêts tropicales transformées en parcs naturels, on s'arrête à Portsmouth, au nord de Roseau, trop fréquenté, avant de boucler le périple à Saint John's. L'élégant *Sea Cloud II* vous aura ainsi révélé les Petites Antilles avec les égards qui leur sont dus, pour votre plus grand avantage.

SUIVEZ LE POINTILLÉ !

De petits avions de tourisme desservent les îles Vierges, Saint-Barthélemy, Antigua, la Guadeloupe… C'est en les empruntant pour survoler les archipels à basse altitude que l'on se rend compte de la géographie et de la géologie de la région. L'arc de cercle des Petites Antilles suit en effet les contours de la plaque tectonique des Caraïbes lorsque celle-ci vient à la rencontre de la plaque atlantique. Ces îles exhibent pour la plupart de fiers cônes volcaniques. Ceux de Saba, Saint-Eustache, Nevis et Saint Kitts par exemple sont assez spectaculaires. Certains, comme en Guadeloupe et sur Saint-Vincent, sont toujours en activité. À Sainte-Lucie, les pitons sont éteints mais tout proches des sources chaudes de la Soufrière, qui servaient de bains thermaux aux soldats de Louis XVI durant la guerre contre les Anglais.

▶ Le carnaval de Trinidad est le plus célèbre et le plus flamboyant des Caraïbes, peut-être même d'Amérique du Sud et d'Amérique centrale. Les Antillais ne céderaient leur place pour rien au monde.

AUTOUR DU **YUCATAN**

La civilisation maya a longtemps été négligée par les armateurs, mais le *Sun Bay II* devrait prochainement réparer cette injustice. Les passionnés d'archéologie embarqueront à Cancun pour tout savoir sur ces anciens Sud-Américains.

SUN BAY II

Principaux sites et escales :
• **Cancun** • Half Moon Cay • Lighthouse Reef • La Ceiba • Puerto Barrios • Laughingbird Cay • South Water Cay • Belize • Goff's Cay • Cancun • Isla Contoy • Progreso • Campeche • Ciudad del Carmen • **Cancun**

Catégorie : Premium Yacht

Autre navire : Olympia Voyager

La légende veut que le nom de Yucatan provienne d'un malentendu. Aux conquistadores espagnols qui venaient de débarquer et qui lui demandaient comment s'appelait ce pays, le premier Maya interrogé aurait répondu : « je ne sais pas ». Ce que les Ibériques, ne comprenant pas la langue, traduisirent phonétiquement par « Yucatan ». Cette anecdote aurait pu s'étendre à la plupart des armateurs de croisières en direction du Mexique. Depuis des années, ils transportent des millions de passagers vers le Yucatan, escale obligée du programme « Western Caribbean », en ignorant pratiquement tous les grands sites archéologiques de l'une des civilisations les plus étonnantes du Nouveau Monde, voire du monde ! En effet, alors que l'Europe était encore plongée dans les ténèbres, ce peuple féru de mathématiques et d'astronomie inventa son propre calendrier ainsi que ce qui est et reste le seul système d'écriture indigène des Amériques. On situe leur origine aux environs de l'an 2600 avant J.-C., et leur apogée dans les années 250 après J.-C. Les Mayas étaient des bâtisseurs nés : leurs pyramides sont là pour l'attester.

▲ Il existe désormais deux superyachts très confortables nommés *Sun Bay*. Mais le tout neuf *Sun Bay II* compte en quelque sorte se dédoubler à lui tout seul en alternant, en hiver, les deux côtes est et ouest de la grande péninsule du Yucatan. Cela devrait permettre à ses passagers de découvrir, en moins de deux semaines, les sites mayas les plus célèbres, depuis les impressionnants temples-tours de Tikal en pleine jungle du Peten guatémaltèque (page précédente), jusqu'à la plus modeste pyramide d'Altun Ha (ci-contre), toute proche de la mer et de Belize City.

Les nombreux vestiges, souvent bien conservés et restaurés, sont répartis sur une surface presque égale à celle de la France. Ils se situent au Mexique, au Guatemala, au Honduras, au Belize et même au Salvador. La croisière est en l'occurrence le meilleur moyen pour les visiter, sachant qu'un touriste en voiture mettra plus de deux mois pour boucler le parcours. En bateau, l'accès est d'autant plus facilité que de nombreux temples et d'anciennes cités se trouvent souvent près des côtes. Aujourd'hui, quelques navires vont au-delà de la sempiternelle excursion à Tulum, site très fréquenté car tout proche des traditionnels lieux de séjours du nord du Mexique. Certains descendent plus au sud, jusqu'à Belize City, voire Puerto Williams, au Guatemala.

Mais l'arrivée du petit *Sun Bay II* dans les Caraïbes devrait véritablement changer les choses. Son armateur allemand a en effet concocté une double ▸

croisière d'une semaine en vue de caler les plus grands appétits d'histoire. Au départ de Cancun, ce périple a pour originalité d'explorer alternativement chacun des deux côtés de la péninsule, à l'aller et au retour. Ainsi, on descend pour la première fois jusqu'à Ciudad del Carmen – à portée de Palenque – puis on remonte jusqu'à Campeche et Progreso. Ce système permet de proposer une série de riches excursions. Tous les grands sites de la côte – Kabah, Uxmal, Labna, la route Puuc et Chichen Itza – peuvent être visités la première semaine. La semaine suivante, le *Sun Bay II* parcourt le littoral oriental, du Yucatan jusqu'à La Ceiba, au Honduras, et Puerto Barrios, au Guatemala. Les croisiéristes découvrent alors les splendeurs sculptées de Quiriga et de Copan, Tikal, ainsi que des sites proches de Belize City comme Xuantunich ou Altun Ha.

Le circuit ne néglige pas pour autant la nature. Le Honduras et le Belize se partagent en effet la deuxième plus grande barrière de corail au monde, après l'Australie. Les heureux passagers du *Sun Bay II* devraient passer des après-midi inoubliables dans les lagons turquoise des îles des Cayes. Ces îles comptent plusieurs des plus beaux sites de plongée des Caraïbes et attirent des amateurs venus du monde entier. Les reliefs variés sont particulièrement appréciés : tombants, murs, récifs, grottes et pitons se suivent pour le plus grand bonheur des yeux. Raies, tortues, requins, murènes, mérous et barracudas cohabitent, au milieu des gorgones, des coraux et des spongiaires colorés.

MYSTÈRES ET SPLENDEURS DE LA CIVILISATION MAYA

Les Mayas n'ont pas vraiment disparu. Ils sont les ancêtres des Mexicains du Yucatan ainsi que des Guatémaltèques, et les vestiges de leurs cités sont nombreux. Mais les grandes époques de leur civilisation comportent encore quelques mystères, révélés parfois par la découverte de sites enfouis sous la jungle. Ainsi, on ignore encore pourquoi l'époque dite classique – qui vit fleurir villes et centres de cérémonies comme Palenque, Tikal et Copan, entre le Chiapas et le Honduras – s'éteignit aux alentours de 900 après J.-C. On ignore également comment s'est produit cette sorte de renouveau intérieur qui marqua le Yucatan entre 1000 et 1400. Cette époque dite « post-classique » a influencé les Toltèques venus du Mexique central et engendré à son tour des centres aussi fascinants que Chichen Itza, Uxmal et Rio Bec.

Avec le *Sun Bay II*, la croisière maya se veut complète, couvrant aussi bien les sites de la période classique comme Copan au Honduras (ci-contre), que ceux de la dernière période maya, influencée par les Toltèques mexicains, comme à Uxmal (ci-dessus) ou à Chichen Itza (double page suivante).

D'ACAPULCO À LA FLORIDE, PAR LE **CANAL DE PANAMA**

Joindre les deux océans, entre la Californie et la Floride, est une croisière des plus classiques, un must dans le domaine. L'élégant *Silver Whisper* la rend assurément exceptionnelle.

SILVER WHISPER

Principaux sites et escales :
• **Acapulco** • Huatulco • Puerto Quetzal • Puntarenas • Golfito • Canal de Panama • Puerto Limon • San Andrés • Belize City • Cozumel • Playa del Carmen • Key West • **Fort Lauderdale**

Catégorie : Luxury

Autres navires : Amsterdam • Europa • Hanseatic • Volendam

À chaque changement de saison, une cinquantaine de paquebots franchit le canal de Panama. Ils se repositionnent ainsi en Californie pour le fameux « passage intérieur » de l'Alaska durant l'été, ou bien reviennent en Floride pour leur saison caraïbe d'hiver.

Quelques petits navires et voiliers détaillent maintenant en toute intimité les golfes du Costa Rica, la mer de Cortez, ainsi que les villages de la jungle du Darien, mais rares sont les paquebots qui vous permettent de profiter, de part et d'autre de Panama, des deux faces océaniques de l'Amérique centrale, en incluant le canal. Le *Silver Whisper* est le bateau idéal, d'autant que la compagnie Silversea Cruises s'attache précisément à toujours bien choisir ses escales. Son itinéraire actuel – qui pourra être, une autre année, celui de l'un de ses élégants comparses – est la continuation logique d'une véritable croisière transpacifique de luxe se terminant à Acapulco, après quelques dernières escales mexicaines en Basse Californie et à Puerto Vallarta.

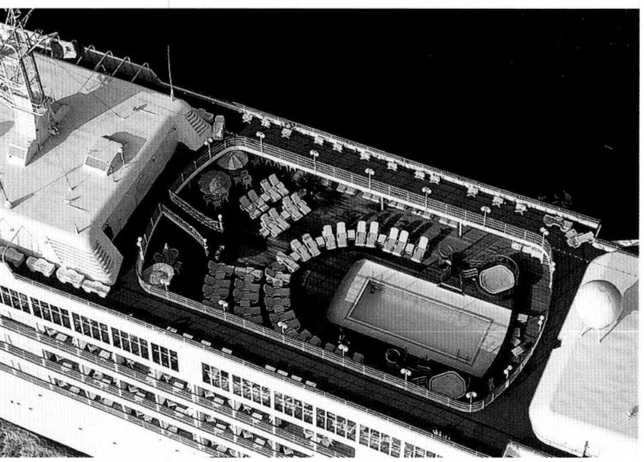

▲ Le *Silver Whisper*, l'un des plus luxueux nouveaux paquebots moyens, fait escale à Puerto Quetzal, sur la côte Pacifique du Guatemala. Il permet de découvrir les fabuleux paysages du lago de Atitlan (page précédente), ainsi que, après le canal lui-même, les minuscules îles San Blas, où les Indiens perpétuent un artisanat de grande qualité, avec notamment leurs *molas* colorés (ci-contre).

Embarquer pour quelques jours de croisière dans cette station mythique permet aussi de pouvoir commencer son voyage par un petit séjour à Mexico ou à Taxco. Puis, le navire prend la direction du sud. À Huatulco, il reste suffisamment de temps pour que les passagers friands de sites précolombiens aient le temps d'une fameuse excursion. On peut en effet se rendre, à travers la cordillère, jusqu'à Oaxaca et Monte Alban, ancien centre cérémoniel perché dans la montagne. De même, ce bateau est l'un des rares à faire escale à Puerto Quetzal, sur la côte pacifique du Guatemala, proche de la ville coloniale d'Antigua et des panoramas de Lago de Atitlan. Avant d'arriver au canal, le *Silver Whisper* s'arrêtera deux fois sur la côte est du Costa Rica : d'abord à Puntarenas, d'où l'on accède rapidement à la capitale San José, entourée de superbes volcans et de jardins tropicaux, puis aux îles de Golfo Dulce, célèbres pour leur beauté côtière et sous-marine. Le franchissement du canal, ▸

un must, sera prolongé, côté Caraïbes, par une escale aux îles voisines de l'archipel des San Blas, où les Indiens Cunas réalisent toujours des tissages artisanaux remarquables. Une autre escale, à Colon, au débouché du canal sur la mer des Caraïbes, permet de visiter la forteresse de Portobello, ou de faire différentes incursions dans Panama. Le paquebot s'arrête ensuite au Costa Rica, à Puerto Limon, un port proche de San José et de nombreux parcs naturels. Sur la route vers le nord, un arrêt aux îles San Andrés permet de découvrir cet archipel colombien perdu au large, entre le Nicaragua et Cuba. Plus tard, au cours de l'escale à Belize City, on hésite entre la visite de sites mayas comme Altun Ha ou Xuantunich, et le barbotage dans les superbes cayes de l'une des plus grandes barrières de corail du monde. À Cozumel, on accède aux plus belles plages de cette mer des Antilles. En combinant deux journées avec le port voisin de Playa del Carmen, les véritables amateurs pourront faire une excursion au Yucatan, privilégiant le site précolombien de Chichen Itza pour laisser derrière eux Coba, et surtout Tulum, nettement plus touristiques. Une dernière escale à Key West rendra hommage à Ernest Hemingway et à Tennessee Williams, juste avant le débarquement à Palm Beach, un port plus intime et sélect que Miami ou Fort Lauderdale.

LE CANAL DE PANAMA

Cette grande réalisation humaine, date du début du XXe siècle, même si l'idée est aussi ancienne que la découverte du Nouveau Monde. Dès 1516, une route dallée unissait déjà, à travers cet isthme, les deux océans. Il fallut cependant attendre la première tentative, en 1876, de Ferdinand de Lesseps, le créateur du canal de Suez, puis la vente des droits aux États-Unis en 1899 pour voir se creuser enfin le fameux canal. Long de 79,6 kilomètres et profond de 13,7 mètres, il a besoin de cinq écluses pour permettre aux navires de franchir, entre les deux grands lacs intérieurs, des dénivellations atteignant parfois 26 mètres. Les écluses de Miraflores (ci-dessus) limitent la capacité des bateaux à 33 mètres de largeur. Lorsque cette condition est remplie, on dit qu'ils sont « panamax ».

▶ Le *Silver Whisper* prend un chemin buissonnier subtropical pour revenir en Floride, évoluant de San Andrés à Belize, de Cancun à Cozumel. Il fait escale à Key West, la dernière des *keys* américaines à l'extrémité de la Floride, bijou cher à de grands écrivains comme Ernest Hemingway ou Tennessee Williams.

LE FABULEUX **PASSAGE DU NORD-OUEST**

Trouver le chemin qui mène de l'Atlantique au Pacifique par le nord… Telle fut la quête de courageux navigateurs, durant des siècles. Emprunter cette route mythique en toute quiétude est aujourd'hui possible, grâce au brise-glace *Kapitan Khlebnikov*.

KAPITAN KHLEBNIKOV

Principaux sites et escales :
• **Anchorage** • Anadyr • Chukotsk Peninsula • Provideniya • Détroit de Béring • Point Barrow • Île Herschel • Mackenzie Delta • Holman • Union Strait • Johansen Bay • Cambridge Bay • Victoria Strait • Bellot Strait • Beechez Island • Resolute

Catégorie : Standard Plus Expedition

Autres navires : Bremen • Hanseatic

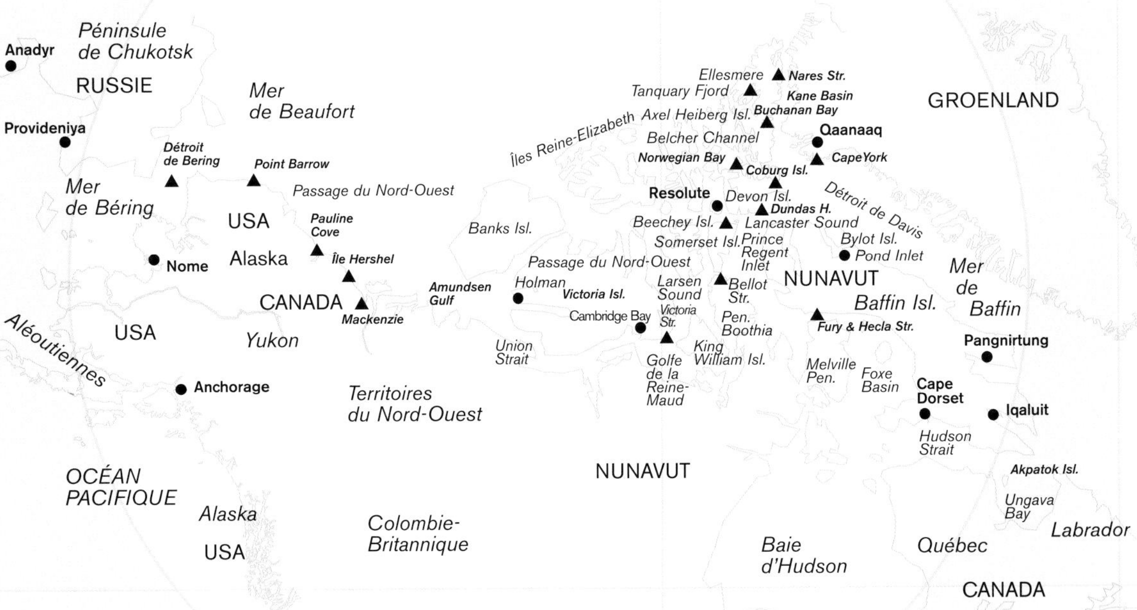

◀◀ Paradoxalement, ce ne sont pas les icebergs descendus du nord qui constituent le plus grand danger pour les (rares) navires qui tentent le franchissement du passage du Nord-Ouest, mais les changements subits de température et de conditions de formation de la glace dans les chenaux et les détroits. Le *Kapitan Khlebnikov* ou son *sistership*, le *Kapitan Dranytsin*, ont les moyens de briser la glace.

▲ Les Inuits qui peuplent les abords du passage du Nord-Ouest pratiquent toujours la chasse et la pêche traditionnelles.

Le passage du Nord-Ouest permet de relier l'Atlantique au Pacifique à travers les paysages du grand Arctique. Découvrir cette route de légende fut le rêve de centaines d'explorateurs, durant quatre siècles ! Mais ouvrir une voie maritime n'est pas chose aisée. Christophe Colomb découvrit la sienne alors qu'il cherchait un nouveau chemin pour atteindre les Indes. Quelques années plus tard, Balboa explora le Pacifique. Dans leur sillage, bien des marins européens partirent à la recherche du lien entre les deux océans. Ainsi, ils pensaient éviter le long et fastidieux voyage par le cap de Bonne-Espérance, que Vasco de Gama avait inauguré.
Magellan explora la piste sud en longeant cette nouvelle Amérique, si difficile à atteindre et si longue. D'autres se tournèrent vers le Nord. Le Saint-Laurent et la baie d'Hudson s'avérèrent rapidement des culs-de-sac. Quant aux parrages de la terre de Baffin et du Groenland, ils semblaient insurmontables : cette mer parcourue de blocks de glace peut durcir en quelques heures et se transformer en banquise ! Bien des marins perdirent la vie dans d'audacieux voyages. Les détroits minuscules et les presqu'îles blanches furent les témoins des assauts répétés de générations d'explorateurs. Mais les immensités glacées gardèrent farouchement leur secret. Le fameux passage était alors synonyme de perdition et de non-retour.

Il fallut attendre 1905 pour qu'enfin la route légendaire soit dévoilée. C'est Amundsen qui la découvrit, après deux longs hivernages à bord de son cotre *Gjøa*. Ce voyage est de nos jours une croisière de renom, que les conditions météorologiques ne permettent pas toujours d'effectuer jusqu'à son terme… sauf si l'on s'est embarqué sur le bon bateau. Bien que reconnu et balisé, le chemin ne se laisse en effet pas facilement dompter car les conditions climatiques y sont très instables, même en été. Aussi, il vous faut l'allié le plus sûr pour cette aventure extrême, un brise-glace.
Vous rêvez d'emprunter le fameux passage et de toucher au but ? Depuis plusieurs saisons, le spécialiste Quark Expeditions affrète un navire à l'épreuve

INUITS ET NUNAVUT

Autrefois appelés Eskimos, les Inuits vivent dans le Grand Nord depuis des temps ancestraux. Ces hommes sont issus des grandes migrations – venues d'Asie et de Sibérie par le détroit de Béring encore hors d'eau – qui peuplèrent par couches successives les deux Amériques. Ils se sont si bien adaptés aux conditions

climatiques extrêmes qu'on les surnomme les seigneurs de l'Arctique. Aujourd'hui, ils sont plus de cent mille, répartis entre la Sibérie, l'Alaska, le Groenland, le Yukon, le Nord-Ouest du Canada, l'extrême nord du Québec et du Labrador.
Depuis le 1er avril 1999, dix-huit mille d'entre eux disposent d'un État-province, situé au Canada, le Nunavut (« Notre Terre » en langue inuit). Ce territoire s'étend sur trois fuseaux horaires et 2 millions de kilomètres carrés entre la baie d'Hudson, la mer de Beaufort ainsi que la mer de Baffin au nord et le Québec au sud ! Sa langue officielle est l'inuktitut, mais on pratique aussi l'anglais et le français. Sa capitale, Iqaluit, compte déjà trois mille âmes.

d'une telle croisière-expédition, le *Kapitan Khlebnikov*. Il appartient à la flotte de la Far Eastern Shipping. Cette perle rare exige qu'on la rejoigne à domicile, à l'extrémité de la Sibérie, à Anadyr.

L'aventure se lance ardemment en juillet. Le ton exceptionnel de cette croisière est donné par un vrombissant transfert en hélicoptère. Puis, la bête ébranle ses 13 000 tonneaux d'acier dans le gros ronronnement d'un bon moteur bien réconfortant, calculé pour avancer coûte que coûte. Vous verrez alors, pendant vingt et un jours, défiler sous vos yeux, en toute quiétude, les paysages magiques de l'extrême Arctique. Un premier contact avec les Inuits s'établit à Provideniya, en Sibérie. Après le passage du détroit de Béring, ce sont des pétroliers géants, en route depuis l'Alaska, que vous rencontrerez. Au-delà de Point Barrow, si ce n'est pas l'inconnu, c'est en tout cas l'imprévisibilité. Les *ice packs* qui descendent du nord se font plus nombreux. Un tour en hélico vous permettra de contempler votre navire paisiblement engagé dans une mer discrètement devenue blanche, laissant derrière lui une longue traînée bleue. À l'île Herschel et à Pauline Cove, vous verrez les dernières carcasses des baleiniers autrefois si nombreux. À Holman, vous rencontrerez une grande communauté inuit, qui compte des artisans de talent parmi ses trois cents résidents.

À Cambridge Bay, vous observerez peut-être une minute de silence devant le Schooner Maud, considéré comme un mémorial d'Amundsen, car il maîtrisa le premier les traîtres détroits qui suivent. Mais même si cette mer est truffée de pièges, n'ayez crainte : votre commandant est un vieux routier russe de l'Arctique. Après quelques jours de navigation au radar… et au jugé dans un perpétuel blanc immaculé, le passage du Nord-Ouest cèdera à l'arrivée à Resolute, centre d'activités du Nord-Canada qui marque la fin d'une épopée inoubliable.

▲ Thulé, la grande base américaine de la guerre froide, n'existe plus et tous les noms de la région sont désormais inuits. Les campements eskimos d'autrefois sont devenus de véritables petites cités confortables, munies de cybercafés !

▶ La progression dans les détroits extrêmes est lente et le sillage semble parfois se refermer juste derrière la coque du brise-glace.

LA LONGUE QUÊTE DU PASSAGE DU NORD-OUEST

À partir de 1492, bien des navigateurs européens, de Costa Reale à Jean Cabot, de Frobisher à Davies et Hudson, ont cherché le légendaire passage qui permettrait de relier un océan à l'autre par le nord. C'est en 1720 que le Danois Béring établit qu'il existe un détroit communiquant avec les mers arctiques. En 1771, Samuel Hearne, explorant à pied l'extrême nord du Canada, parvient jusqu'au bord de l'océan Arctique, atteignant ainsi l'est du passage.
En 1816, Sir John Ross organise la première véritable expédition. En 1829, il retente l'aventure. Après quatre hivers passés dans les glaces, il parvient jusqu'à la presqu'île de Boothia.
En 1850, il repart encore, à la recherche de Franklin, disparu corps et biens avec ses deux navires, l'*Erebus* et le *Terror*. Ce n'est qu'en 1905 que le Norvégien Amundsen, après deux hivers à la terre du Roi-Guillaume, arrive avec son voilier, le *Gjøa*, devant l'île de Hershel, effaçant ainsi le mythe au profit de la réalité.

L'ARCTIQUE ATLANTIQUE **CANADIEN**

Pour suivre les traces des grands explorateurs canadiens, partir à la rencontre du peuple inuit et croiser des baleines, on peut embarquer sur un petit navire bien « frenchy », né à Saint-Malo.

LEVANT

Principaux sites et escales :
• **St-Pierre** • St John's • L'anse aux Meadows • Côte du Labrador • Gannet Islands • Mugford Tickle • Hebron • Akpatok • Cape Dorset • Foxe Basin • Inushuk Point • Erik Cove • Digges Island • Kimmirut • Grinnel Glacier • **Iqaluit**

Catégorie : Luxury Yacht

Autres navires : Clipper Adventurer • Hanseatic • Kapitan Khlebnikov

▲ Dans ces contrées de l'Arctique canadien, les ours sauvages font partie du paysage.

Depuis plusieurs années, chaque été, un mini-paquebot emmène ses passagers français ou américains sur les traces des voyageurs canadiens du XVIIIe siècle. Il suit le golfe du Saint-Laurent pour atteindre les Grands Lacs à Chicago, égrenant quelques escales dont les noms fleurent la France, puis propose plusieurs croisières « Grand Nord », jusqu'au Nunavut.

▲ Le *Levant* est un superyacht. L'été, il joue le navire-expédition ; l'hiver, il rôde près des plages tropicales. Ce n'est pas un brise-glace, mais sa coque *ice class* lui permet de côtoyer les premiers icebergs du Labrador (page 110), même s'il préfère la plupart du temps ne pas vouloir affronter la grande banquise.

Il n'est guère étonnant que ce navire si « frenchy » plaise tant aux Américains. Comme les bateaux de Jacques Cartier, le *Levant* est né en Bretagne, dans les chantiers de Saint-Malo. Armé par de jeunes capitaines bretons, il a été spécialement conçu pour découvrir ces nouveaux horizons, dans un esprit d'aventure… douillet, qui reflète bien un certain art de vivre français.

Sa base de départ est toujours Saint-Pierre-et-Miquelon, le dernier véritable territoire français d'Amérique du Nord. Ses premières escales le mènent à Terre-Neuve, aussi nommée Newfoundland. La grande île sauvage aux côtes escarpées est pittoresque. Les baleines croisent à l'entrée du port de Saint John's, la petite capitale parcourue de joyeux pubs. Un peu plus loin se trouve la célèbre anse aux Meadows. Cinq siècles avant que Cartier ne reconnaisse l'endroit, les Vikings parvenus au Groenland y avaient déjà installé des relais éphémères. Puis, c'est la longue remontée de la côte du Labrador. Les fjords, comme celui de Mugford Tickle, succèdent aux îles, comme celles de Gannet, et vice versa. À Hebron, les ruines de l'ancienne mission installée en 1830 attestent des relations que les premiers Européens entretinrent avec les Inuits.

Aujourd'hui, ces authentiques Eskimos (« ceux qui mangent de la viande crue ») vivent toujours dans un perpétuel défi à la nature sauvage. Ils se nourrissent de la chasse et de la pêche, endurent les mois de nuit polaire et les plus grands froids qui soient. Ces hommes en parfaite harmonie avec leur milieu possèdent désormais leur propre État, une province canadienne semi-indépendante, le Nunavut. Elle correspond à leurs territoires ancestraux, hérités ▸

LES PREMIERS FURENT LES VIKINGS

En 985, un Norvégien, Bjarni Herjolfsson, s'égara dans le brouillard et aperçut, bien plus à l'ouest de sa destination, une terre boisée sur laquelle il ne débarqua pas. C'est un autre Viking, Leif Ericson, très excité par cette histoire, qui découvrit le Helluland (certainement la terre de Baffin), puis le Markland (le Labrador) et le Vinland (probablement Terre-Neuve). Devant ces succès, son frère Thorwald se lança à son tour dans l'aventure, mais n'eut pas la chance d'en revenir. D'autres expéditions, notamment celle de Thorfinn Karlseni, s'y essayèrent en vain. Vers 1960, des archéologues apportèrent enfin la preuve de ces premières incursions, quand le Norvégien Helge Ingstad et sa femme mirent à jour les ruines de plusieurs maisons vikings, à la pointe nord de Terre-Neuve. Ce site, l'anse aux Meadows, a été porté au Patrimoine de l'humanité par l'Unesco en 1978.

du peuple fondateur de la culture arctique, les Thules, apparus en 900 après J.-C. On estime que leur population se porte à sept mille. La petite ville de Cape Dorset, au sud de la terre de Baffin, en est la capitale culturelle. On y expose les œuvres des artisans – beaucoup de statues représentant des ours dansant, des phoques, des baleines... – très recherchées par les collectionneurs. Dans un souci de double promotion de leur culture, ces artistes exposent également des documents montrant les conditions de vie anciennes et actuelles des Inuits. La véritable capitale du Nunavut, Iqaluit, se trouve à l'extrémité de la terre de Baffin. Elle marque en général la fin de la croisière et le retour en avion. Mais entre-temps, le *Levant* aura fait escale sur l'île d'Akpatok, en pleine baie d'Ungava. Ses falaises abritent parfois des ours polaires, mais surtout des milliers d'oiseaux marins de toutes sortes ; tout comme à Digges Island, autre havre de la faune arctique. Le navire vire ensuite à l'ouest pour emprunter un passage souvent bloqué par une banquise précoce, le Foxe Basin. On découvre, dans une solitude glacée, désertique et splendide, quelques paysages étonnants, comme Kimmirut et le Grinnel Glacier.

Certes, les croisières du *Levant* ne sont pas des expéditions exceptionnelles comme celle du passage du Nord-Ouest dont elle ne fait que frôler l'entrée. Mais elles constituent un trait d'union entre l'Arctique américain et la façade du Canada atlantique, et une bonne mise en bouche pour un futur voyage plus extrémiste.

◀ Le *Levant* est, en été, un habitué du Nunavut. Il fait escale dans certaines bourgades et villes du grand territoire inuit, aujourd'hui relativement autonome par rapport à la fédération canadienne.
Certains de ses habitants, les Inuits, ont consevé presque intact leur mode de vie traditionnel.

▲ À Hebron, tout au nord du Labrador, les ruines de la mission Morave, établie vers 1860 par une secte protestante émigrée au Canada, attestent de la relative ancienneté des rapports entre Eskimos et occidentaux. Le *Levant* permet de découvrir, plus au sud, à l'anse aux Meadows, sur Terre-Neuve, ce qui fut l'un des premiers établissements vikings dans le Nouveau Monde.

LES GRANDS ESPACES DE L'**ALASKA**

Dès la belle saison, plus de quarante paquebots acheminent des passagers vers l'Alaska, des Aléoutiennes jusqu'à la mer de Béring. Parmi eux, le *World Discoverer* propose un itinéraire des plus authentiques et des plus sauvages.

WORLD DISCOVERER

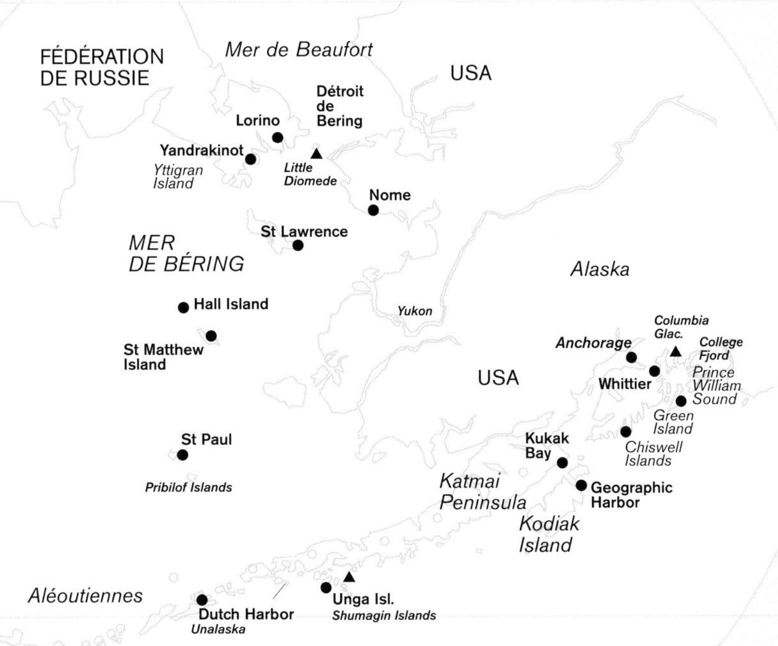

Principaux sites et escales :
• **Nome** • Little Diomede • Lorino • Yandrakinot • St Lawrence Island • Hall Island • St Matthew • St Paul Island • Dutch Harbor • Unga • Simidi Islands • Kukak Bay • Geographic Harbor • Chiswell Islands • Green Island (Prince William Sound) • Kayak Island • College Fjord • Whittier • **Anchorage**

Catégorie : Premium Plus Expedition

Autres navires : Clipper Odyssey • Europa • Hanseatic • Spirit of Oceanus

CHERCHEZ LA PLAQUE !

Pour apprécier à leur juste valeur les splendeurs de l'Alaska, il est intéressant de se reporter à une carte géologique. La tectonique des plaques permet en effet de comprendre les reliefs extravagants de cette immense région, et de mesurer les mouvements des continents. Les paysages arctiques sont ici modelés par la rencontre des plaques Pacifique et Atlantique. Ceci explique pourquoi le détroit de Béring n'est pas une franche coupure, mais plutôt un seuil entre plusieurs massifs montagneux issus d'une même plaque. C'est cette unité qui a permis le peuplement progressif du continent américain par des peuples venus d'Asie à pied sec. C'est pourquoi aussi on trouve les mêmes populations inuits de part et d'autre de la mer de Béring. La véritable rupture géologique est, elle, marquée par une ligne de volcans, souvent encore actifs, qui s'étend des Kouriles à l'Oregon.

Acheté aux Russes en 1867 pour un peu plus de sept millions de dollars, l'Alaska est le quarante-neuvième et le plus grand État des États-Unis, depuis 1958. Aujourd'hui, son nom est associé à l'une des régions de croisières les plus prisées de la clientèle nord-américaine. Au printemps et en été, c'est plus de quarante navires qui s'élancent à son assaut. Certains sont tout petits, d'autres avoisinent les deux mille cinq cents passagers. Les panoramas du voyage, l'atmosphère et l'ambiance des escales sont incomparables. La mer elle-même peut parfois paraître irréelle. Son aspect laiteux tient à la fonte des eaux des glaciers, très chargées en minéraux.

Mais il y a aussi un autre Alaska, qui ne se limite pas à ce « passage intérieur » désormais si encombré. Depuis des années, Society Expedition permet d'effectuer plusieurs belles croisières d'assez longue durée à bord de son propre navire-expédition, en particulier le nouveau *World Discoverer* dans tout le Pacifique nord. Certaines d'entre elles commencent dans les plus hautes îles du Japon et parcourent toute la côte du Kamtchatka, jusqu'à la Sibérie la plus orientale de la mer d'Okhotsk.

▲ Même si un certain nombre de grands paquebots parviennent jusqu'au somptueux Prince William Sound (page précédente), le petit *World Discoverer* reste un instrument incomparable pour découvrir le grand Alaska maritime, notamment les Aléoutiennes et les côtes de la mer de Béring, qu'elles soient russes, américaines ou inuits (ci-contre).

Si vous recherchez une nature intacte et inhabituelle, des paysages grandioses, une population authentique, une faune sauvage en liberté, vous aurez du plaisir à circuler tout autour de la mer de Béring. Contrairement aux idées reçues, l'Alaska est loin d'être toujours recouvert par les glaces. Durant les quatre mois d'été, près d'une région où le soleil oublie de se coucher, le climat s'adoucit, permettant à la flore – composée de plantes naines, d'arbustes, d'herbes, de lichens et de mousses – de se développer. La faune aussi s'active à nouveau. Dans la toundra, ours, loups, élans, oiseaux s'observent avec une relative facilité. D'une superficie supérieure à trois fois la France, ce territoire compte deux mille îles et trois millions de lacs (c'est un paradis pour pêcheurs) ! Les grands espaces vierges sont parcourus par des chaînes montagneuses, recouvertes de neiges ▸

éternelles. Les cent mille glaciers ont creusé d'innombrables vallées. De quoi satisfaire les plus acharnés amateurs de nature sauvage…

À bord du *World Discoverer*, des spécialistes vous proposeront différentes conférences afin de vous initier au Grand Nord et à la culture inuit. Parmi les itinéraires traditionnels, les plus intéressants combinent les îles, le détroit de Béring, les ports de l'extrême Alaska ou de la lointaine Sibérie, quelques Aléoutiennes, les merveilles volcaniques de la péninsule de Kodiak, ainsi que les somptueux glaciers du Prince William Sound. Ce terminus du « passage intérieur » en est l'endroit le plus majestueux. Cet endroit est bordé par les Grandes Rocheuses, qui tombent directement dans l'océan, entre Anchorage, au nord, et Vancouver ou Seattle, au sud. Avec un peu de chance, vous pourrez voir des baleines dans ces fjords.

En croisière sur le *World Discoverer*, l'Alaska le plus mythique se dévoilera en dix-huit jours. Le long de ce périple, vous découvrirez les témoignages fantômes de la ruée vers l'or qui, dès 1872, avait déclenché une véritable frénésie. À la bourgade de Nome par exemple, le métal précieux se cherchait – et se trouvait – sur la plage. Vous visiterez également d'authentiques communautés inuits. Les Inupiaq, les Yup'ik ou les Chukchi de Lorino sont des pêcheurs et des artistes hors pair. Leur mode de vie et leur adaptabilité vous impressionneront. Quant aux paysages naturels, certains seront aussi beaux que frais. La banquise, la vallée aux mille fumées de Katmai, les îles volcaniques Aléoutiennes émergeant des brumes arctiques vous procureront… de grands frissons.

QUEL ALASKA CHOISIR ?

L'Alaska américain est un immense État de 1,5 million de kilomètres carrés. Mais s'il s'étend jusqu'à 70° de latitude nord, quand on évoque l'Alaska en matière de croisières, on parle en fait de plusieurs régions différentes. La plus courante est le « passage Intérieur ». Ce littoral pacifique du continent américain est célèbre car les Grandes Rocheuses, en tombant directement dans l'océan, ont formé des archipels, des fjords, des pentes couvertes de forêts et parfois de glaciers. Mais, au-delà d'Anchorage et de Whittier, bornes les plus nordiques de ce passage, il existe d'autres « régions Alaska ». C'est le cas de la péninsule de Katmai, de l'arc des Aléoutiennes et des rives de la mer de Béring.

▲ Les îles de la mer de Béring, zone-frontière par excellence, ont vu cohabiter au cours des siècles différentes cultures et nationalités. Sur Little Diomede, pratiquement située sur la frontière entre la Russie et les États-Unis, la petite bourgade inuit continue ses activités traditionnelles de pêche et d'artisanat, tandis que sur la grande île américaine de Kodiak, la vieille église orthodoxe atteste toujours du passage des premiers colons russes.

▶ Seules les baleines, en totale liberté dans ces eaux, se sont toujours moquées des frontières…

Queen Elizabeth 2
CUNARD

LA GRANDE **TRANSAT** VERS NEW YORK

La traversée de l'Atlantique nord a toujours fait rêver les hommes, les poussant régulièrement à de véritables exploits. Aujourd'hui, vous pouvez revivre cette épopée, confortablement installé à bord du géant *Queen Mary 2* !

LE GÉANT DES MERS

Depuis deux siècles, les armements se battent pour annoncer qu'ils ont lancé le plus grand paquebot du monde. Mais encore faut-il bien définir les règles, car la taille d'un navire se mesure d'abord au volume intérieur consacré aux passagers et à la croisière proprement dite. Ce volume s'exprime en « tonneaux » (*tons* en anglais). Ainsi, le *France* de 1962 déplaçait 74 000 tonneaux – moins que le *Normandie* (90 000 tonneaux). Puis sortit, des mêmes Chantiers de Saint-Nazaire, le *Sovereign of the Seas* de la Royal Caribbean Cruise Line, avec 76 000 tonneaux. K. Kloster, le nouveau propriétaire du *France* devenu *Norway*, lui ajouta alors un pont supplémentaire afin que le nouveau volume du paquebot dépasse les 76 000 tonneaux. En 1998, la série des *Sun Princess* le surpassa et fut elle-même détrônée par les *Carnival Destiny* (105 000 tonneaux), puis les *Grand Princess* et enfin la série *Voyager* de Royal Caribbean qui atteint 142 000 tonneaux, deux fois le volume initial du *France* ! Le record va être à son tour battu par le *Queen Mary 2* et ses 145 000 tonneaux. Ce nouveau géant des mers possèdera également le record de longueur des paquebots : avec ses 345 mètres, il dépassera largement le *Norway*. En comparaison avec ces nouveaux mastodontes, les *Titanic* (1913 - 51 000 tonneaux) et autres *United States* (1952 - 55 300 tonneaux) font aujourd'hui figure de... demi-portions !

NORWAY
QUEEN ELIZABETH 2
(QUEEN MARY 2)

QUEEN ELIZABETH 2 (**catégories :** Standard Plus › Premium Plus › Luxury)

NORWAY (**catégories :** Standard Plus › Premium)

(QUEEN MARY 2) (**catégories :** Premium › Premium Plus › Luxury)

LE RUBAN BLEU

Le Ruban bleu est une distinction qui récompense le navire ayant traversé le plus rapidement l'Atlantique nord. Dès le début du XXe siècle, les compagnies maritimes ont rivalisé de vitesse pour l'obtenir. Dès 1900 en effet, l'*Illustrated London News* rapporta que le fameux trophée avait été conquis par le navire *Deutschland* de la Hamburg Amerika Linie. Douze paquebots se sont ensuite successivement ravi la prestigieuse coupe durant vingt-deux ans. Elle fut par exemple décernée au *Mauretania* de la Cunard, puis au *Bremen* et à l'*Europa*, au *Rex* en 1933, et enfin au *Normandie* en 1938. En 1952, le trophée fut conquis par l'*United States* avec une moyenne de plus de 35 nœuds ! Ce paquebot, maintenu longtemps en réserve par l'armée américaine, est aujourd'hui à quai à Philadelphie.

L'Atlantique a vu durant un siècle transiter des centaines de milliers de passagers entre Southampton, Le Havre, Cherbourg et New York, ainsi que des millions d'émigrants, pas toujours logés dans de bonnes conditions. Cette traversée Europe-Amérique du Nord est aujourd'hui encore un vrai symbole fort dans le domaine de la croisière.

À l'époque où un Concorde peut vous emmener de Paris à New York en trois heures, il existe en effet une autre manière, tout aussi prestigieuse mais ô combien différente, de voyager. Imaginez-vous contemplant l'horizon, après cinq jours de grand océan. Un paysage terrestre encore imprécis apparaît. Au fur et à mesure de l'approche, les lignes deviennent plus nettes et plus folles : le grand pont de Verrazzano, porte monumentale entre Brooklyn et Staten Island, vous accueille le premier. Remontant lentement l'Hudson River, saluant au passage la statue de la Liberté, le paquebot s'approche peu à peu de l'immense front de gratte-ciel, sous une forêt de ponts métalliques. Ce spectacle restera toujours unique (malgré l'absence des Twin Towers), tout comme l'impression que vous garderez de votre arrivée à New York, bien différente de celle, brutale et imparfaite, éprouvée sur un aéroport.

▲ Les arrivées dans le port de New York, après cinq à six jours de traversée directe, restent toujours des moments intenses, pour les passagers du *France* autrefois (ci-contre), comme pour ceux du *Queen Elizabeth 2* (page précédente, ci-dessus et page 127).

Je vous conseille d'autant plus de préférer le bateau à l'avion si vous vous rendez pour la première fois à New York. Cela fut ma propre expérience, à la fin des années 1960. J'avais alors embarqué sur le *France*, qui fut incontestablement un des plus beaux liners jamais construits. Deux saisons plus tard, j'eus l'opportunité de revenir à New York, à bord du tout neuf *Queen Elizabeth 2*, sorte de compromis raffiné entre bateau de croisière et ▸

bateau de ligne, qui mêlait un confort victorien un peu suranné à une déco quasi fluo, très «Soho années 70 ». J'eus encore plusieurs fois la possibilité de revenir sur le *Queen Elizabeth 2*, avant et après la guerre des Malouines, à l'occasion de laquelle le navire fut cité à l'ordre du Commonwealth. J'assistais aux liftings successifs de cette vieille dame, qui passa de la mode des jacuzzis à celles des piscines à toits ouvrants, des grills-clubs et des Lido-bars.

Mais cette nostalgie sera bientôt balayée ! En avril 2004, le voyage en croisière devrait s'enrichir et se vivifier d'un monumental nouveau souffle. Le *Queen Mary 2*, fraîchement sorti des Chantiers de l'Atlantique français, accompagnera alors le *Queen Elizabeth 2* pour sa dernière traversée, se voyant ainsi passer le relais. Avec ce bateau, tous les musts en matière de croisière seront pulvérisés ! Ses 150000 tonneaux en feront le plus gros paquebot du monde (deux fois le volume du *France*...). Ce sera aussi le plus long, avec ses presque 350 mètres, et le plus haut : sa cheminée rouge et noire culminera à une hauteur de vingt-trois étages. Le *Queen Mary 2* sera également le plus rapide, atteignant une vitesse de 30 nœuds. Seule sa capacité – presque trois mille passagers – ne battra pas de records ; mais, par rapport à son volume intérieur, les heureux voyageurs y disposeront d'un ratio espace inégalé. Les services à bord seront à la mesure de ce géant des mers. Un grand restaurant se développera sur trois étages avec pour liaison un escalier monumental. Mais, en tout, dix lieux de restauration différents seront proposés. La salle de théâtre sera l'une des plus vastes jamais vues sur les océans. Il y aura un planétarium, un pub géant, quatre piscines dont une à toit ouvrant, un espace Internet, des centres de remise en forme, des salons de jeux... Les trois quarts des cabines disposeront de leur propre balcon. On trouvera même à bord un Cunard's College, véritable petite université sur mer. Bref, le monstre alliera tradition et modernité. Vous pourrez toujours emprunter le Concorde au retour, mais il se pourrait bien que vous regrettiez les six jours merveilleux de l'aller.

▲ **Les transatlantiques traditionnelles peuvent donner lieu à des séjours en mer assez occupés. Ce sera encore plus le cas avec le nouveau géant *Queen Mary 2*, véritable must pour lequel les premières croisières, prévues début 2004, sont déjà toutes réservées.**

NO DIVING

LE TOUR DE LA **SICILE**

Il est des régions où tout est venu de la mer ; aussi, n'est-il pas plus authentique de découvrir ces îles en bateau ? Pour une approche incomparable de la Sicile et de la Méditerranée, embarquez à bord de l'*Adriana*.

ADRIANA

Principaux sites et escales :
Nice • Alghero • Trapani • Porto di Licata (Agrigente) • Syracuse • Messine • Palerme • Cagliari • **Nice**

Catégorie : Standard Plus

Autres navires : Hebridean Spirit • Minerva • Monet

Les pays de la Méditerranée et la Sicile sont incontestablement des joyaux culturels. Mais l'immense majorité de ceux qui les visitent ne pensent pas à les aborder par leurs côtes. En particulier la Sicile, même si certaines compagnies maritimes incluent dans leurs périples traditionnels quelques escales incontournables telles que Palerme, Taormine et parfois Agrigente, on ne fait en principe pas d'elle un but de croisière en soi. Et pourtant… Les civilisations s'y sont succédé par les côtes et la plus grande île de la Méditerranée est devenue un véritable bijou culturel. Pour les Grecs anciens, elle s'appelait *Trinacria*, que l'on peut traduire par « l'île aux trois pointes ». On pourrait aussi la baptiser « l'île aux trois visages » : l'un tourné vers le nord et l'Italie, l'autre vers le sud et l'Afrique, le troisième vers l'est et la Grèce, voire la Méditerranée orientale.

▲ L'*Adriana* recherche avant tout les beaux itinéraires en Méditerranée, dans le Nord de l'Europe et dans l'océan Indien. Dans son tour de Sicile, il permet aussi bien de visiter Palerme, Monreale et Cefalu (page précédente) que d'effectuer des excursions à partir de Taormine ou encore de Syracuse, d'Agrigente et de Messine.

▶ L'Etna vu à travers le théâtre antique.

Le tour-opérateur français Plein Cap Croisières est l'un des rares à y proposer des circuits maritimes très pointus, ce qui lui a valu de fidéliser une clientèle d'aficionados. Son *Adriana* est le navire idéal pour découvrir les îles et les côtes. Les dimensions du navire sont parfaitement adaptées : avec ses deux cent vingt passagers, le bateau se faufile dans des chemins étroits et permet d'accéder à des endroits qui auraient été normalement refusés. Dans une ambiance quasi familiale, l'équipe de conférenciers propose des escales sur des sites archéologiques prestigieux... et méconnus, ce qui fait le bonheur des passionnés d'histoire et d'art. Quand l'*Adriana* parcourt la côte dalmate par exemple, vous ne manquez aucun port (Dubrovnik, Split, Trogir, Sibenik, Krk, Korcula, Hvar, Kornati), avant de découvrir le sinueux fjord méditerranéen de Kotor.

Plein Cap a désormais adapté cette formule à la Corse, à la Sardaigne, à l'archipel des îles Éoliennes et depuis peu à la Sicile. Le périple concocté par la compagnie permet de voir en dix jours ce que l'on mettrait des semaines à visiter par les routes. Le bateau est basé à Nice. Son port d'attache sert de départ ▶

et d'arrivée. Durant la croisière autour de la Sicile, une ou deux escales à Capri ou à Taormine sont possibles, en supplément. On rejoint presque directement Trapani, Segeste et Sélinonte, sanctuaires de beaux temples de la Grèce antique.On passe ensuite près de Mozya, le premier comptoir phénicien de l'île, et le belvédère d'Erice, mais sans y faire escale. Lorsque le navire arrive à Porto di Licata – ou Porto Empedocle – la fantastique vallée des temples d'Agrigente est toute proche. De même, il est relativement aisé de se rendre jusqu'à Piazza Armerina, pour contempler les superbes mosaïques conservées dans un palais romain du IIIe siècle. Le tour de Noto sera un peu rapide, mais vous pourrez vous rattraper avec la vieille ville de Syracuse, après la visite des sites antiques des Latomies et du grand théâtre.

Le temps sera trop compté pour entreprendre une véritable excursion sur l'Etna, mais vous le contemplerez à votre guise dans toute sa majesté. En revanche, vous ne manquerez pas la traditionnelle ascension à Taormine, avant de traverser le détroit de Messine. À Reggio di Calabria, vous admirerez les fameuses statues grecques repêchées il y a quelques années à Riacce. La croisière en Sicile se termine par Palerme, Monreale et Cefalu. Il faut alors penser à rentrer à Nice, non sans une petite escale à Cagliari, capitale de la Sardaigne. Son musée archéologique et ses rues si typiques méritent bien le détour…

QUAND LA CULTURE VOYAGE PAR LA MER…

Les plus beaux sites archéologiques de la plus grande île de la Méditerranée sont dus aux vagues d'envahisseurs successifs qui, depuis l'Antiquité, l'ont enrichie de leurs cultures respectives.

Ce furent tout d'abord les Grecs, qui avaient fait de la Sicile l'un de leurs fleurons. Nombre de temples admirables sont encore là pour l'attester. Puis vinrent les Romains, et ensuite les Arabes, qui prirent durant trois siècles la succession des Byzantins. Même après la reconquête chrétienne par les Normands, ceux-ci continuèrent à imprimer leur marque sur l'île, par artistes et artisans de génie interposés. Angevins, Catalans et Napolitains se succédèrent à leur tour et déposèrent leur touche.

▶ **Dans une telle croisière, rien de ce qui tient à l'histoire et aux différentes cultures qui ont fait la Sicile ne sera écarté. Ni le cloître de la basilique de Monreale (ci-dessus), ni la fameuse Vallée des Temples de l'antique Agrigente (ci-contre), ni les villes étonnamment baroques du Sud de la Sicile, dont Syracuse (double page suivante) reste l'un des plus beaux exemples.**

NAPOLEONE SR 1935

RISTORANTE

D'AMSTERDAM À **BUDAPEST**

L'ouverture de canaux à grand gabarit en Europe occidentale permet de constituer aujourd'hui un réseau de croisières fluviales inégalé. Le *River Cloud* vous propose ainsi une grande traversée de toute la *Mitteleuropa*.

RIVER CLOUD

Principaux sites et escales :
• **Amsterdam** • Düsseldorf • Cologne • Bonn • Coblence • Wiesbaden • Mayence • Miltenberg • Würzburg • Bamberg • Nuremberg • Regensburg • Passau • Dürnstein • Vienne • **Budapest**

Catégorie : Premium

Autres navires : Bohême • Princesse Sissi • Prinzessine von Preussen • Symphonie • Viking Heine • Viking Neptune

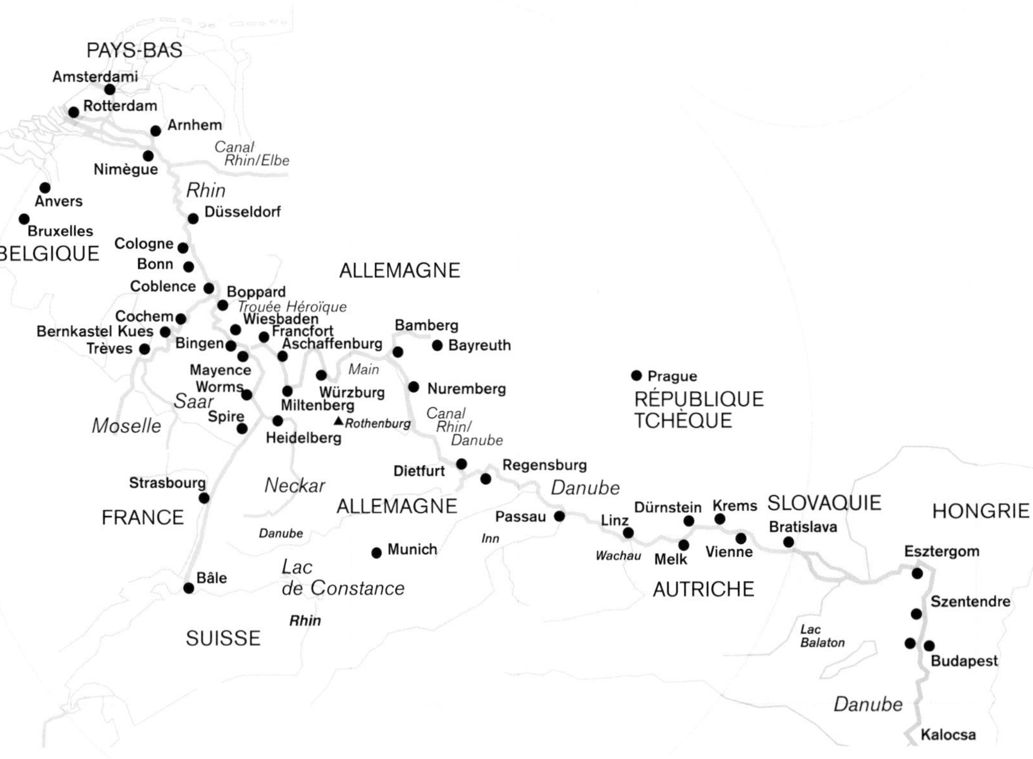

▲ Le *River Cloud*, l'un des plus confortables bateaux fluviaux d'Europe, est une très bonne unité pour effectuer de longues traversées transeuropéennes d'ouest en est.

Depuis pratiquement deux siècles, les Européens sont friands de croisières fluviales. Ces excursions sur les fleuves, les canaux et les lacs se déroulaient alors essentiellement en une journée. Si des flottes importantes existaient déjà sur le Rhin, la Seine, le Danube, l'Elbe et la Weser, elles se sont considérablement développées depuis une trentaine d'années.

Européens et Américains partagent désormais un grand enthousiasme pour ce type de croisières, dont le concept a été élargi. Ainsi, des voyages fluviaux de plusieurs jours sont organisés, à bord de bateaux pouvant accueillir jusqu'à cent cinquante passagers. Les cabines y sont aussi confortables que celles des paquebots les plus récents. On trouve à bord de véritables restaurants, des services, ainsi qu'une organisation proposant visites et excursions. Les itinéraires se sont multipliés, d'autant que bien des réseaux fluviaux commençaient à être reliés par des canaux à grand gabarit. L'ouverture notamment du canal qui relie le Rhin au Danube par l'intermédiaire du Main a permis d'étonnantes premières traversées transeuropéennes. Maintenant que les événements du Kosovo ne sont plus qu'un lointain souvenir, les navires ont repris leurs longues croisières jusqu'au delta du Danube, et l'on met en place des trajets de la mer du Nord à la mer Noire à travers toute la *Mitteleuropa*, l'Europe centrale et danubienne.

Quelques compagnies comme Sea Cloud Kreuzfahrten, CroisiEurope, Viking River ou Peter Deilmann proposent déjà des parcours d'Amsterdam à Vienne ou à Budapest. Ces croisières peuvent figurer parmi les plus belles du monde. Faisant suite aux beautés paisibles de la Hollande et de ses canaux, la descente du Rhin est une entrée en matière somptueuse, magnifiée par le défilé des burgs et des vignobles de la fameuse Trouée Héroïque. Au-delà de Wiesbaden et de Mayence, l'itinéraire s'engage sur le Main, affluent du Rhin relativement peu fréquenté par les bateaux de croisières jusqu'à l'ouverture du canal Rhin-Danube. Après la traversée de la métropole de Francfort, on savoure les colombages des petites villes si bien conservées d'Aschaffenburg ▶

▲ Le *River Cloud* permet de côtoyer quelques-uns des plus beaux sites de l'Europe rhénane et danubienne, comme Cologne (page 136) et la grande abbaye de Melk (ci-dessus) qui domine le moyen Danube autrichien.

DE LA MER DU NORD À LA MER NOIRE

Un canal à grand gabarit unit désormais le Rhin au Danube, et les croisières fluviales ont pris un essor considérable. Cette extension est d'autant plus importante que le réseau rhénan englobe lui-même des rivières comme la Moselle, le Main, la Saar et le Neckar, ainsi qu'une série de canaux traversant la Hollande et la Belgique. Il est également relié à l'Elbe, via les canaux à grand gabarit qui traversent l'Allemagne du Nord. L'Elbe, qui prend sa source en Bohême, près de Prague, est lui-même relié à l'Oder et à la Baltique. Ainsi, il est désormais possible à de petits navires de croisières de se rendre d'Amsterdam à Constance, de Trèves à Sassnitz, d'Anvers à Prague.

et de Miltenberg, ainsi que les cités artistiques de Würzburg et de Bamberg. Des excursions sont possibles vers des villes datant du Moyen Âge et de la Renaissance. On peut ainsi visiter Rothenburg, toujours cernée par ses murailles d'autrefois. Après une escale à Nuremberg – encore un must culturel ! – on emprunte le canal afin de rejoindre le Danube. Le bateau fait une escale à Regensburg, une ville aux vestiges de l'époque du Saint Empire romain germanique, puis une autre à Passau, ville-carrefour entre l'Allemagne et l'Autriche. On atteindra ensuite la Wachau, région mythique des Nibelungen. Là, le Danube pénètre l'empire et la culture des Habsbourg, comme en témoignent, de part et d'autre du fleuve impétueux, les petites églises à bulbes et les maisons à façade ocre jaune, couleur de la dynastie impériale.

D'étape en étape, d'écluses modernes en monuments impressionnants – comme la grande abbaye de Melk –, de barrages haute technologie en petits villages typiques – comme celui de Dürnstein, où fut détenu le roi Richard Cœur de Lion –, on arrive à Vienne. Par manque de temps, hélas, on ne peut guère s'attarder dans les différents musées et palais de la ville. Mais l'arrivée du *River Cloud*, entre le Parlement flamboyant et la vieille ville, est un grand moment. Si la partie danubienne de ce périple est désormais parcourue par une cinquantaine de bateaux de plus en plus confortables, la longue descente (ou remontée) depuis la mer du Nord jusqu'en Hongrie reste encore un itinéraire rare et l'un des voyages culturels les plus riches au monde.

◀ Sur la rivière Main qui sert de liaison entre le Rhin et le Danube, Würzburg offre, nichés au milieu de sa vieille cité franconienne, d'admirables monuments baroques rococos, en particulier la fameuse résidence des princes Évêques, dont le grand escalier est dominé par les fresques de Tiepolo.

▶ Après une succession de villes d'art et de monuments prestigieux, l'arrivée à Budapest est le véritable point d'orgue d'un parcours que peu de voyageurs pourraient accomplir par voie purement terrestre. Le parlement ressemble à une immense cathédrale fin XIXe.

LE **PÔLE NORD** DES GRANDS EXPLORATEURS

Droit devant, cap au nord à bord d'un brise-glace nucléaire ! Le but de la manœuvre ? Aller planter soi-même son drapeau au pôle ! Une expédition grisante pour l'aventurier qui sommeille en vous…

YAMAL

Pôle Nord
Terres du Nord
FÉDÉRATION DE RUSSIE
MER Mc KINLEY
Île Alexandra
Terre François-Joseph
MER DE KARA
GROENLAND
Nouvelle-Zemble
Longyearbyen
Spitzberg
NORVÈGE
RUSSIE
MER DU GROENLAND
MER DE BARENTS
Cap Nord
ISLANDE
Murmansk
Reykjavik
OCÉAN ATLANTIQUE
Tromsø
Finnmark
Lofoten
NORVÈGE
Laponie
RUSSIE
Îles Far Oe
SUÈDE

Principaux sites et escales :

- **Oslo** - Longyearbyen - Côte du Spitzberg
- Pôle Nord (géographique)
- Terre François-Joseph - Longyearbyen - **Oslo**

Catégorie : Standard Plus Expedition

Autre navire : Sovietskiy Soyuz

Cette croisière fut une première en 1993, lorsque Quark Expeditions affréta son premier brise-glace russe pour emmener des voyageurs jusqu'au pôle Nord. Aujourd'hui, il s'agit toujours d'une expérience unique, pour tous les passionnés qui peuvent en payer le prix.

Il est difficile de décrire le spectacle le plus étonnant de cette croisière. Les impressions et sensations qu'elles vous procureront seront riches et fortes. Essayez d'imaginer l'énorme coque d'un des plus grands brise-glace nucléaires du monde. Imaginez que vous êtes sur le pont de cette énorme bête. Sentez-vous cette puissance qui vous envahit lorsque le monstre se fraye irrésistiblement un chemin dans la glace qui craque et qui s'ouvre sur son passage ? Peint en rouge et en noir, le bateau est hérissé de radars, d'antennes, de fils et de coupoles qui le font ressembler à une machine extraterrestre.

▲ L'expérience grandiose du brise-glace nucléaire *Yamal* faisant irrésistiblement craquer la banquise sous son poids et la puissance de ses moteurs (page précédente) est inoubliable.

Pour l'aborder, direction Oslo, puis le Spitzberg. C'est à Longyearbyen exactement que vous le rejoindrez, par hélicoptère. L'itinéraire est des plus simples : droit devant, cap au nord ! Le *Yamal,* car c'est son nom, navigue à 12 nœuds de moyenne, sans aucun à-coup. Il vous emmènera au pôle en deux jours. Si les conditions climatiques sont bonnes, vous pourrez contempler la banquise à votre guise. Puis viendra le moment où il s'arrêtera. Le capitaine demandera alors aux passagers de descendre avec lui sur la banquise afin de planter le fameux pavillon d'expédition. Certains aventuriers se sont battus longtemps pour obtenir ce privilège. Ils ont affronté une nature hostile et couvert d'impressionnantes distances à bord de simples traîneaux.

L'exploration des mers arctiques ne date pas d'hier : le Grec Pythéas (IVe siècle avant J.-C.) décrit déjà les glaces du Grand Nord dans ses textes ! Mais les progrès commencèrent véritablement au XVIe siècle. La Nouvelle-Zemble a été ▶

СОВЕТСКИЙ СОЮЗ

découverte par Burroughs en 1556, et le Spitzberg par Barents en 1595. Les premières expéditions scientifiques débutent au XVIIIe siècle. La course au pôle Nord, elle, démarre en 1827. Après moult tentatives infructueuses de bien des explorateurs, il semble aujourd'hui certain que c'est l'Anglais Peary qui atteignit presque le premier le point mythique, en 1909, à sa troisième tentative. Lors de la première, ce passionné n'avait pas hésité à emmener sa femme… enceinte. C'est ainsi que naquit leur fille, à bord d'un navire-expédition, quelque part sur une route maritime mythique. Au cours de ses dernières expéditions, il eut une maîtresse… et un autre héritier inuit ! Mais cette quête extrême n'eut pas que des dénouements heureux. Andrée et Steinberg avaient eu, en 1897, moins de chance que Peary : ils finirent tragiquement, après avoir tenté de survoler le pôle en ballon. Il fallut attendre 1926 pour voir l'Américain Byrd y poser un avion. Trois jours plus tard, le dirigeable *Norgee* survolait le pavillon de toutes les convoitises, avec à son bord Amundsen, Ellsworth et Nobile. Toutes ces années furent marquées par une médiatisation de ce pôle Nord, enrichie de compétitions acharnées.

Aussi, si votre propre victoire sera aisée, elle n'en sera pas moins hautement émouvante et symbolique. Un barbecue (mais si !) sera organisé pour célébrer l'événement, avant de reprendre la route du sud. Au cours du voyage, vous ferez un petit détour vers la terre François-Joseph, un archipel désertique découvert en 1873, encore en grande partie inexploré. Un tour en hélico vous permettra d'aller à la rencontre des morses et des ours polaires. Le retour, rapide, se fait par la mer de Barents jusqu'au Spitzberg. De là, on regagne Oslo, en se demandant si l'on n'a pas rêvé.

▲ Durant le chemin du retour, particulièrement lorsque l'on croise la terre François-Joseph, la plus arctique du monde, il n'est pas rare de tomber sur un ours polaire.

À LA RECHERCHE DU PÔLE NORD

C'est en 1827 que la course au pôle Nord a vraiment débuté, avec l'expédition de William Parry, qui parvint jusqu'au 82°75' de latitude nord. Il fallut attendre le Norvégien Nansen pour enregistrer le progrès suivant.
Cet explorateur fit fabriquer un navire, le *Fram*, avec lequel il expérimenta la dérive des glaces en 1895. Puis, il le troqua contre un traîneau et atteignit 86°22' de latitude nord avec son camarade Johannsen.
Les deux hommes durent alors rebrousser chemin, mais ils avaient dès lors démontré que le pôle se trouvait bien sur la banquise.
En dépit des affirmations de l'un de ses anciens compagnons, le docteur Cook, qui prétendait y être parvenu un an auparavant, il semble maintenant assuré que c'est l'Anglais Peary qui atteignit le premier le point mythique en 1909.

LES PERLES DE L'**OCÉAN INDIEN**

L'*Hebridean Spirit* égrène les plus célèbres sites de l'océan Indien en quatorze jours. Des Seychelles à Zanzibar, partez à la rencontre de l'exotisme et des splendeurs naturelles d'une des plus belles régions du monde.

HEBRIDEAN SPIRIT

Principaux sites et escales :
• **Port Victoria** • Silhouette • Denis • Praslin • La Digue • Desroches • Aldabra • Assumption • Grande Comore • Moroni • Pemba • Zanzibar • **Dar es Salaam**

Catégorie : Luxury Yacht

Autres navires : Adriana • Bremen • Hanseatic • Le Ponant • Royal Star

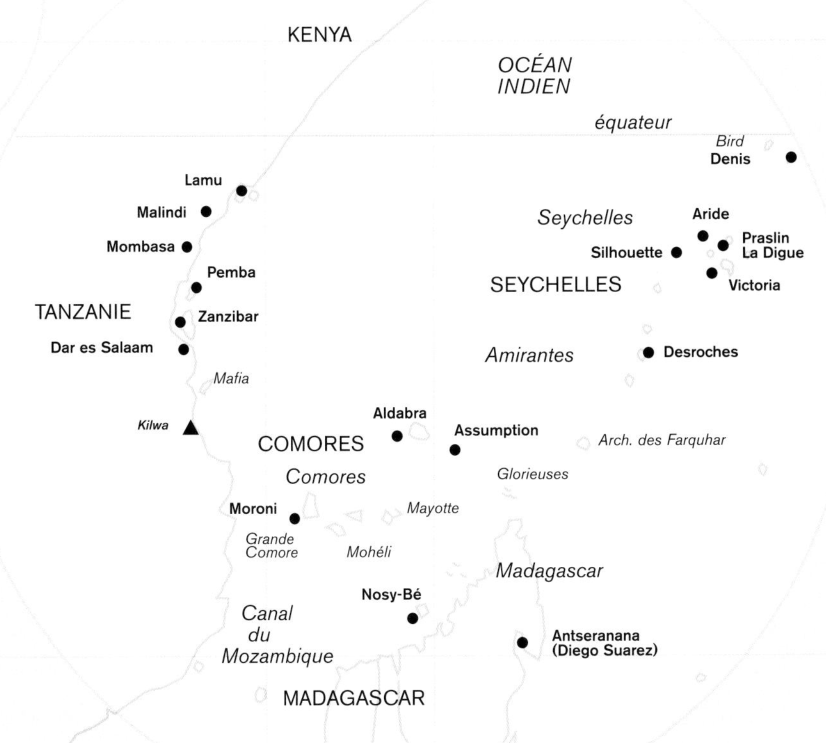

▲ L'*Hebridean Spirit* est certainement l'un des navires les mieux adaptés, à la fois par son confort et son intimité – à peine une centaine de passagers – pour découvrir les merveilles de l'océan Indien.

◀ La ville et le port de Moroni, sur la Grande Comore, tout comme les cités plus swahélies de cette côte d'Afrique orientale, rappellent qu'au Nord de Madagascar, les navigateurs, les colons et les résidents venus d'Arabie sont toujours très présents.

◀◀ En débarquant sur les plages de La Digue aux Seychelles, quelques lourds rochers de granit semblent comme des dolmens rosés polis par l'océan, délicatement posés sur un lit de sable blond, ourlé d'une mer émeraude et délicatement frangé de palmes tropicales (aussi en pages 154-155).

Surnommée « Antilles des antipodes », cette guirlande d'îles et d'atolls, souvent volcaniques, quelquefois granitiques, se languit en chapelets juste au sud de l'équateur, entre le littoral oriental de l'Afrique et Madagascar. Les îles de l'océan Indien ont en commun avec les Caraïbes un climat subtropical, sous lequel se développe une végétation généreuse et luxuriante. Le parallèle peut aussi s'établir entre les plages, toujours admirables, et les lagons turquoise pavés de massifs coralliens. D'un point de vue humain, le fond de colonisation a légué à cette région un métissage de populations comparable à celui des Indes occidentales. L'influence arabe, considérable, a donné naissance à une civilisation swahilie, puissante et riche (Vasco de Gama avait pu en juger en débarquant dans ses ports et cités). Alors qu'à la fin du XIXe siècle Hollandais, Français et Britanniques avaient fini par occuper toutes les îles situées au large – comme autant d'escales directes sur la route des Indes – les sultans d'Oman régnaient toujours en maîtres à Zanzibar et sur les côtes de l'Afrique de l'Est.

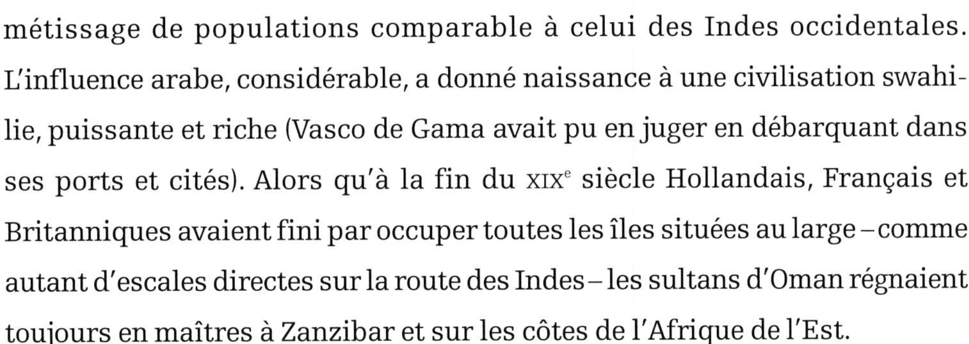

Cette croisière de l'*Hebridean Spirit* débute à Port Victoria, aux Seychelles, et se termine à Dar es Salaam, en Tanzanie. Elle met en évidence les confrontations historiques et culturelles qui conditionnèrent l'évolution des îles. Elle permet d'en découvrir les différentes facettes et de rencontrer des témoignages vivants, sans négliger la découverte d'une faune et d'une flore privilégiées. Le navire est en effet l'un des rares autorisé à débarquer ses passagers, peu nombreux il est vrai, sur le vaste atoll d'Aldabra, une réserve naturelle où les plus grandes tortues du monde vivent par milliers. Cette réserve est placée sous la protection totale de l'Unesco, et certains estiment qu'elle est plus importante que celle des Galapagos ! La croisière parcourt ensuite les Seychelles. C'est un enchantement permanent de paysages de plages de sable ▶

blond. Praslin est célèbre dans le monde entier, tout comme La Digue : l'anse Source d'argent, idyllique et irréelle, est bordée de cocoteraies et de dolmens naturels de granit gris-rose. Si vous souhaitez visiter ce paradis, sachez que seule une vingtaine de voitures sont autorisées à y circuler. Il vous faudra donc louer un VTT, ou un « taxi-bœuf ». Là, vous oublierez assurément – si cela n'était pas déjà fait ! – le stress de votre vie quotidienne… La croisière approche ensuite des îlots complètement perdus dans l'océan, comme Denis Island, ainsi que des petits atolls à l'écart de tous les vents, comme les Amirantes, Desroches et Assumption. À partir de la Grande Comore, dominée par le Kartala, son majestueux volcan toujours en activité, on retrouve l'influence arabe, mêlée au vaudou. À Moroni par exemple, l'islam est comme imprimé sur la vieille cité, perceptible au détour de la moindre ruelle. On visite la médina, à la recherche des magnifiques portes sculptées et cloutées, ou bien on déambule dans le port ancien, où les boutres viennent s'échouer à marée basse. Les grandes îles de Pemba et de Zanzibar, avec leurs palais en ruines et leurs anciennes maisons, évoquent encore le temps où les marchands arabes échangeaient l'or, l'ivoire… et les esclaves. Le débarquement s'effectue à Dar es Salaam, ancienne capitale de la Tanzanie et plus important port de l'Afrique de l'Est. Fondée en 1862 par le sultan de Zanzibar, son nom signifie « demeure de la paix ». L'activité qui y règne aujourd'hui lui fait démériter cette appellation…

▲ Grâce à ses propres zodiacs, l'*Hebridean Spirit* joue aussi le rôle d'un petit navire-expédition. Il permet de s'arrêter aux Amirantes, notamment sur le grand atoll d'Aldabra pour lequel il a même une permission spéciale, plutôt rarement accordée. Il s'agit là en effet d'un parc naturel très protégé, où se trouve la plus grande colonie de tortues géantes du monde ainsi qu'une faune sauvage exceptionnelle.

▶ À Zanzibar, on tente de protéger et de rénover les témoignages coloniaux arabes, omanais et victoriens. Cette île joua le rôle de carrefour entre l'orient, l'occident et le continent africain pendant plus de quatre siècles.

DANS LE SILLAGE DE **VASCO DE GAMA**

De la péninsule Arabique à la côte de Malabar, cet itinéraire de croisière inédit part à la découverte du littoral de l'Inde du Sud sur un bateau de charme.

HEBRIDEAN SPIRIT

Principaux sites et escales :
• **Mascate** • Sur • Diu • Mumbai • Murud Janjira • Malvan • Dona Paula • Panaji • Goa • Cannanore • Tellicherry • Cochin • Aleppey • Malé • Ari Atoll • Galle • Colombo • Kandy • Cochin • Aleppey • Cannanore • **Cochin**

Catégorie : Luxury Yacht

Autres navires : Minerva • Prinsendam

Construit en Italie en 1991, L'*Hebridean Spirit* est un petit navire pouvant accueillir cent passagers environ. Doté d'un restaurant, d'un grand salon, d'un bar-discothèque et d'une piscine, il offre services et confort. Sa compagnie propose un itinéraire exceptionnel, dans le sillage de Vasco de Gama, le long d'une Inde mythique. Cette croisière s'adresse à une clientèle de connaisseurs, pour l'instant essentiellement britannique, imprégnée souvent déjà de l'Inde classique et traditionnelle, du Taj Mahal aux grands temples du nord et de l'ouest. Cette croisière a été conçue pour découvrir la côte de Malabar, tropicale, luxuriante et animée, grande étape sur la route des épices d'autrefois, qui fascina tant de navigateurs européens et arabes. Ce périple présente un intérêt majeur pour les amateurs du pays, tant sur le plan historique que géographique et naturel.

L'embarquement a lieu à Mascate, capitale d'Oman, à l'extrême pointe ouest de la péninsule Arabique. Dès la seconde journée, le navire fait escale plus au sud, à Sur. Ce port est, sur un arrière-fond de montagnes et de désert, l'un des rares endroits où se construisent encore les *dhows*, boutres à plusieurs voiles, réalisés en bois, qui peuvent atteindre des dimensions considérables. Ces bateaux traditionnels permirent non seulement aux marins arabes de se répandre vers l'Orient, au-delà du détroit de Malacca, mais également de coloniser toute la côte de l'Afrique orientale. Ainsi, le commerce avec le sous-continent indien, toujours vivace, remonte-t-il à plusieurs millénaires. Dans cette région, vous verrez aussi quelques forts portugais, témoignages anciens de l'importance que revêtait la corne d'Arabie.

Après deux journées de traversée en mer d'Arabie – appelée aussi mer d'Oman –, c'est le choc de l'Inde. La première grande escale est l'incontournable Mumbai, ou Bombay, grande porte de la Compagnie des Indes, victorienne, grouillante, ▸

▲ L'*Hebridean Spirit* peut facilement faire escale dans les petits ports, de Diu jusqu'à Aleppey. C'est l'un des petits navires les mieux préparés à ce cabotage.

◀ Mumbai (Bombay) a été le port le plus important des Indes à l'époque de la colonisation britannique. La ville, aujourd'hui immense, grouillante et moderne, est de plus en plus l'un des points forts d'un voyage sur ce littoral.

◀◀ Sur cette côte de Malabar, pêcheurs et modestes marins de commerce semblent renouveler continuellement les gestes de leurs ancêtres.

LA ROUTE DES INDES

En 1488, Bartolomeu Diaz reconnaît le cap de Bonne-Espérance. Mais ce n'est qu'en 1497, quatre ans après la découverte des « Indes » par Christophe Colomb, que Vasco de Gama peut s'élancer sur cet océan inconnu, avec quatre vaisseaux et cent soixante hommes d'équipage. Remontant la côte orientale de l'Afrique, il découvre les riches cités swahilies du Mozambique, Kilwa, Mombasa… À partir de Malindi, un guide originaire du Gujerat le pilote vers Mascate, puis vers le littoral indien et la côte de Malabar. L'explorateur retourne aux Indes dès 1502, avec cette fois vingt et un navires. Vingt ans plus tard, après les expéditions d'Albuquerque (qui, à partir de 1506, s'est emparé de Socotra, Mascate et Goa, s'aventurant même jusqu'à Ceylan, Malacca et les Moluques), Vasco de Gama est nommé vice-roi des Indes, en 1524, juste avant de mourir à Cochin.

chic, presque snob et en même temps éminemment populaire ! L'*Hebridean Spirit* entreprend alors une sorte de cabotage enchanteur, sur plus de mille kilomètres, en remontant la côte indienne jusqu'à Cochin. Les paysages s'enchaînent dans une grande diversité : petits ports – tel Diu – devenus quasi fantômes, vieux bastions – fort de Janjira ou de Sindhudurg –, plages idylliques… À Dona Paula, longtemps capitale des Portugais, on trouve déjà l'ambiance de Goa, avec ce métissage d'est et d'ouest, de temples hindous et d'églises baroques.

Vasco de Gama toucha les Indes au port de Cannanore. Quelques siècles plus tard, vous y voilà donc. Vous y trouverez de vastes plantations d'épices, ainsi que la romantique Backwaters du Kerala, ce long chenal intérieur qui suit la côte jusqu'à Cochin et que l'on descend dans d'étonnantes embarcations. Une première croisière de quatorze nuits s'arrête ici, lors de cette étape clé de l'ancienne route de la Chine, qui vit débarquer Portugais, Hollandais et Britanniques.

Ceux qui disposent de davantage de temps pourront s'aventurer encore plus au Sud, jusqu'aux Maldives, avant de remonter sur le Sri Lanka. La vieille cité de Galle est une curiosité historique à visiter depuis Colombo. L'intérieur de l'île est intéressant également, Kandy en particulier, ainsi que les fameuses plantations de thé, célèbres dans le monde entier. La croisière reprend ensuite son cours pour finalement atteindre Vilinjam, à l'extrême sud de l'Inde. C'est alors la remontée de la côte de Malabar jusqu'à Cochin.

◀ C'est de la corne sud-est de la péninsule Arabique, en particulier du royaume d'Oman et de ports comme Mascate et Sur, que les commerçants arabes sont descendus, depuis des siècles, sur des boutres qui les menèrent également jusqu'en Afrique orientale.

▶ Les grands forts qui parsèment la côte omanaise ainsi que les anciens comptoirs portugais et hollandais jusqu'au Sri Lanka attestent de ce que fut l'importance du commerce entre le Moyen-Orient et le sous-continent indien.

LE **TOUR DU MONDE** EN 108 JOURS

Envie d'une délicieuse parenthèse maritime dans votre vie ? Cette croisière exceptionnelle autour du monde, par les mers du Sud, à bord du *Seven Seas Mariner,* est pour vous !

SEVEN SEAS MARINER

Principaux sites et escales :
• **Fort Lauderdale** • Georgetown • San Andrés • Canal de Panama • Puntarenas • Huatulco • Acapulco • Cabo San Lucas • San Diego • Los Angeles • Nuku Hiva • Papeete • Moorea • Bora Bora • Rarotonga • Nuku'alofa • Auckland • Wellington • Christchurch • Port Chalmers • Milford • Hobart • Melbourne • Sydney • Nouméa • Port-Vila • Honiara • Madang • Guam • Kobe • Hiroshima • Shanghai • Hong Kong • Hong Gai • Baie d'Along • Danang • Saigon • Laem Chabang • Singapour • Penang • Cochin • Mahé • Mombasa • Durban • Port Elizabeth • Cape Town • Lüderitz Bay • Walvis Bay • St Hélène • Ascencion • Fortaleza • Belém • Bridgetown • Basse-Terre • **Fort Lauderdale**

Catégorie : Luxury **Autres navires :** Amsterdam • Black Watch • Deutschland

▲ Le *Seven Seas Voyager* est certainement, parmi les navires qui proposent des tours du monde, l'un des plus agréables et des plus confortables.

Imaginez-vous vivre cent huit jours sur un paquebot de croisière… Le navire deviendrait votre seconde maison et les paysages renouvelés en permanence chargeraient votre mémoire de centaines d'émotions nouvelles. Ce voyage autour du monde constituerait une parenthèse dans votre vie, une échappée sabbatique de plus de trois mois, destinée à vous faire découvrir nombres des beautés de la planète.

La croisière autour du monde est un grand classique du genre. Celle effectuée par le *France* en 1971 reste mémorable. L'Atlantique fut traversé sous un vent de force 10. À la fin de ce supplice, les passagers se virent remettre par la compagnie un document attestant de leur présence durant cette terrible traversée ! Si cette croisière dure en principe quatre-vingts à quatre-vingt-dix jours, le *Seven Seas Mariner*, avec ses cent huit jours, entamera bientôt la plus longue jamais entreprise. Le rendez-vous est pris pour début 2003.

Le navire, construit à Saint-Nazaire et lancé en 2001, appartient à la compagnie américaine Radisson Seven Seas. Il est considéré comme l'un des plus luxueux paquebots du monde. Long de 240 mètres, large de 28, avec un ratio de sept cents passagers pour un volume de 49 000 tonneaux, il offre un espace et un confort inégalés. Toutes les cabines-suites donnent sur l'extérieur du navire et possèdent leur propre balcon. Il s'agit là d'une première en architecture navale, destinée à satisfaire les yeux avides des croisiéristes effrénés. À bord, les passagers disposent de quatre restaurants (avec un chef de cuisine Cordon Bleu de Paris), d'un café-internet, d'un casino, de centres de sport et de thalassothérapie, d'un théâtre, d'une boîte de nuit… Quatre cent quarante-cinq personnes sont nécessaires pour que tout se passe bien à bord de ce luxueux hôtel flottant : on compte deux membres d'équipage pour trois passagers… Sa construction, ses services haut de gamme, ses 7 mètres de tirant d'eau et ses 20 nœuds de moyenne font sans ▶

▶ Après une grande et détaillée traversée du Pacifique, de Los Angeles à Tahiti, puis une découverte des principaux archipels polynésiens et mélanésiens, Sydney (page précédente) est le point le plus au sud de la croisière. De là, le navire rebondit sur quelques-unes de plus belles merveilles du Sud-Est asiatique, comme la fameuse baie d'Along, au Nord-Vietnam (ci-contre).

conteste de ce navire un événement à lui tout seul. Son arrivée dans certains ports fut d'ailleurs parfois saluée par un feu d'artifice...

Le départ se donnera de Fort Lauderdale aux États-Unis et le voyage se déroulera en grande partie dans les zones tropicales du globe. Le navire passera rapidement dans les Caraïbes, pour ensuite flâner et musarder dans le Pacifique, après Panama. En remontant la riviera mexicaine, depuis Acapulco et Huatulco, il arrivera en Californie. De là, il filera droit sur les Marquises et traversera une bonne partie de l'archipel de la Société, en Polynésie. Le *Seven Seas Mariner* gagnera ensuite la Nouvelle-Zélande et l'Australie par les Tonga et Nuku'alofa. Puis, il franchira à nouveau l'équateur. Les escales superbes – en Nouvelle-Calédonie, en Mélanésie et dans l'archipel des Salomon – continueront de se succéder, avant d'atteindre le Japon, Shanghai et Hong Kong.

Dans la deuxième partie du voyage, le bateau quittera l'océan Indien pour l'Atlantique en contournant le cap de Bonne-Espérance. Il s'arrêtera à Ascension et à Sainte-Hélène au cours de sa remontée atlantique. Depuis Fortaleza et Belém, vous découvrirez le Brésil et l'embouchure de l'Amazone, avant de filer vers les dernières Caraïbes de l'Est.
Il s'agit là d'un must pour connaisseurs. Le confort, les services à bord et la nature même de la croisière seront à la hauteur de leurs espérances.

◀ Après les grandes escales asiatiques, Capetown et sa fameuse montagne de la Table marquent un autre point de rencontre, celui avec le grand Atlantique. Le navire passe à Sainte-Helène et à Ascension (ci-contre). Le retour s'effectue avec quelques escales brésiliennes, caraïbes, puis la Floride, agréables divertissements tropicaux.

LES NAVIRES DE CROISIÈRES

Aujourd'hui, les bateaux pouvant être qualifiés de navires de croisières sont extrêmement nombreux. Il existe à ce jour plus de 1 800 unités proposant régulièrement des programmes de croisières, maritimes et fluviales, dans le monde entier.

I. Les différentes appellations

Les navires de croisières se sont progressivement différenciés des simples navires de transport, les liners, ces grands hôtels flottants plus ou moins luxueux, qui comme le *Titanic*, le *Normandie* ou le *France* à ses débuts, étaient le seul moyen de relier les continents entre eux.

Aujourd'hui, tous les navires qui transportent des passagers à des fins de croisières sont appelés **cruiseships**. Ce terme général inclut des navires de douze à… trois mille cinq cents passagers.

Le terme **paquebot**, même s'il est tiré de l'anglais **packet boat**, se rapporte aux anciens **liners** français, ces grands navires de transport de passagers qui couvraient les lignes transatlantiques et intercontinentales et qui ont aujourd'hui pratiquement disparu.

En pratique, on utilise de plus en plus souvent les termes de **mégaships** et même de **gigaships** (*gigantic ships*). On désigne alors des navires de plus de 60 000 tonneaux (certains atteignent les 100 000 tonneaux). La taille d'un navire ne se mesure pas en effet à sa longueur, mais au volume intérieur consacré à la croisière : on parle de **tonnage de jauge brut** et on mesure en **tonneaux** (de l'anglais *tons*), exprimé en *gross registered tonnage* (**grt**).

Pour les petites unités, on emploie souvent le terme de **yacht** ou de **mégayacht**. Mais en principe ces mots devraient être réservés à des unités (à moteur : **ms/my** ou à voile : **ys**) relativement petites (dix à vingt passagers), le plus souvent **chartérisées** (louées globalement pour la croisière).

Depuis plusieurs années, les armateurs ont remis en état d'anciens **grands voiliers** (quatre-mâts, cinq-mâts, schooners) pour effectuer de véritables croisières. Certains en ont fait construire de nouveaux, souvent sur des modèles anciens. Ce sont les **sailing yachts**.

Une autre appellation couramment employée est celle de **navire-expédition**. Elle indique que le bateau a été conçu dès le départ pour s'acquitter d'itinéraires et d'escales difficiles. D'où la présence à leur bord de **zodiacs**, ou **tenders**, capables de transporter tous les passagers à pied d'œuvre.

Pour les fleuves et les rivières, le terme de **river boat** désigne un véritable bateau de croisières fluviales, avec une capacité de trente à quatre cents passagers. Il se différencie d'un **hotel-barge**, ou **péniche-hôtel**, par sa taille plus importante (il s'agit, particulièrement en Europe, d'anciennes grandes péniches transformées).

De plus en plus de bateaux traditionnels, de construction locale, voient le jour. Caïques grecs, *gülets* turcs, *pinisi* indonésiennes, plus ou moins récents, se transforment ainsi en navires de croisières.

Enfin, on emploie le terme de **sister-ship** (en anglais navire est un mot féminin) pour désigner des navires de croisières qui ont été, dès le départ, conçus et construits en plusieurs exemplaires. On parle aussi de séries de navires.

II. Classement des navires

Classification. Un classement technique est réalisé par des sociétés de classification de renommée internationale (Bureau Veritas, Rina, Lloyd's Register, Germanischer Lloyd, etc.). Elles sont chargées de vérifier que toutes les spécificités techniques et sécuritaires annoncées au début du projet sont bien respectées durant et à la fin de la construction du navire. Certaines données peuvent avoir trait à la navigation dans les régions polaires.

Le terme **ice class** (**ic**) signifie que le navire dispose d'une coque renforcée qui résistera à la pression de la glace. Seuls les brise-glace classés **ib** ont la puissance nécessaire pour briser la banquise.

Enregistrement et pavillon. Tous les navires doivent être enregistrés dans un pays et dans un port particulier

GLOSSAIRE ET ABRÉVIATIONS COURANTES

Air conditionné (ac) : s'il est souvent réglé une fois pour toutes pour l'ensemble du navire, il est de plus en plus possible de le régler manuellement (**acm**) dans sa propre cabine.

Cabines (cab) : elles peuvent être extérieures (**ext**), avec un hublot (**porthole**), avec une fenêtre plus grande (que l'on ne pourra pas ouvrir non plus) ou, sur les navires modernes, avec un balcon (**bal**), voire avec une fenêtre dont les deux battants peuvent s'ouvrir jusqu'au plafond, le **french balcony (fb)**. Les cabines peuvent aussi être intérieures (**int**), pour deux, trois ou quatre personnes.

En pratique aujourd'hui, toutes les cabines des navires de croisières disposent de leur propre douche et de leurs toilettes privées. On peut également y trouver une baignoire, voire un jacuzzi (**jac**).

Il y aura aussi un téléphone, soit seulement intérieur, soit branché sur l'extérieur par inmarsat (**sat tel cab**), avec internet individuel, coffre-fort, parfois un minibar et, dans les navires Luxury, un véritable petit dressing attenant.

La télévision fournit tous les programmes et informations du bord. Parfois, quelques chaînes extérieures sont accessibles grâce au satellite.

Équipage (crew) (cr) : il réunit l'ensemble du personnel à bord d'un navire. Il faut cependant faire des distinctions entre les officiers, l'équipage des marins, le personnel hôtelier (restaurant et cabine), ainsi que le personnel chargé de l'animation et de la communication.

Les langues parlées par ces différentes parties peuvent être diverses et variées, même si l'anglais est souvent commun.

Marina (mar) : ce terme est communément admis pour désigner des systèmes de plates-formes rétractables, situées en général à l'arrière du navire. Elles permettent de pratiquer directement des sports nautiques.

Pods (pod) : c'est là un système de propulsion relativement récent. Les hélices se trouvent placées sur des nacelles orientables à l'arrière du bateau. Cela permet une navigation plus souple et plus silencieuse.

Propulseur d'étrave (prop) : ces petites hélices supplémentaires sont placées sur les flancs du navire. On en trouve même sur les bateaux fluviaux.

Seating/sitting/service (s) : il s'agit du ou des services de restauration (**rest**) du soir dans le restaurant principal du navire. Sur la plupart des paquebots, il existe deux sittings (**2s**), servis l'un après l'autre à des heures régulières, par la même équipe de serveurs, à une table réservée à l'avance pour toute la durée de la croisière. Ils sont suivis par deux spectacles successifs et donnent lieu aux pourboires traditionnels.

Dans le **single sitting (ss)**, le restaurant ne sert qu'un seul service et demande aux passagers de réserver toujours la même table.

L'**open sitting (os)** est une formule qui abolit ce système des deux services. Très libre, elle permet aux passagers de venir dîner à l'heure qu'ils souhaitent et de s'installer où ils le veulent, même seuls. À midi, la présence de plusieurs restaurants de style buffet (**buf, grill**) près des ponts soleil (**ver**) permet de généraliser un open sitting.

Spa (spa) : ce sont des installations plus ou moins importantes de soins de beauté, de massages, d'hydrothérapie… Elles côtoient souvent les saunas (**saun**), les piscines extérieures (**pool**) ou pouvant être recouvertes d'un toit amovible, les piscines intérieures (**pool int**) et les jacuzzis (**jac**).

Stabilisateurs (stab) : ces précieux grands ailerons rétractables permettent de mieux stabiliser le navire en cas de mauvais temps.

Suite : ce terme n'est pas toujours employé avec justesse. Est considérée comme suite (**suit**) une cabine qui dispose de deux espaces complètement séparés. On a tendance à qualifier de mini-suites des cabines disposant bien de deux espaces, mais pas vraiment indépendants.

Tirant d'air : indique la hauteur totale du navire, mâts inclus (se mesure en mètres). Elle peut s'avérer gênante lors du passage des ponts…

Tirant d'eau : indique la profondeur du navire en dessous du niveau de l'eau (se mesure en mètres). Un tirant d'eau important empêchera le navire de s'approcher de certains rivages, d'entrer dans certains ports. À l'inverse, il permet une meilleure navigation en pleine mer et *a fortiori* en plein océan.

Vitesse : elle se calcule en nœuds (**kn**). Durant les célèbres années transatlantiques Ruban bleu, la vitesse des liners pouvaient dépasser les 90 nœuds. La vitesse de croisière moyenne d'un navire de croisière est descendue aux alentours de 17 nœuds à partir des années soixante-dix. Elle a aujourd'hui tendance à remonter, notamment avec les nouveaux mégaships, pour se porter à 20 ou 22 nœuds. Les nouveaux *Olympia* de Roc atteignent la vitesse record des ferries : 25 et 27 nœuds !

Sur les fleuves, la vitesse se mesure en général en **km/h**.

Zodiac (zod) : ce terme général est couramment employé pour désigner les embarcations en caoutchouc dur, mises au point par la célèbre marque française. Grâce à leur maniabilité et à leur moteur, les zodiacs permettent de s'approcher au plus près de lieux intéressants.

dont ils portent le nom à la poupe et arborent le pavillon. Ces mesures déterminent souvent le droit fiscal et le statut du personnel.

Classement qualitatif. Il y a encore quarante ans, les paquebots étaient essentiellement des navires de transport de passagers doublés d'un hôtel, luxueux ou destinés à des passagers moins fortunés, voire des émigrants (on songe ici au *Titanic*...). De là vient l'existence des **classes** (comme dans les chemins de fer) et des différents tarifs. Ces classes ont disparu sur la plupart des navires actuels. Cependant, même si partout les prestations sont communes, il peut exister des différences, notamment au niveau des restaurants ou des cabines (celles-ci pouvant aller de la petite chambre de 13 mètres carrés à l'appartement, voire à la villa avec jardin, piscine privée et barbecue !).
Certains guides ont essayé de classer qualitativement les navires en répertoriant leurs caractéristiques techniques et leurs services, leur attribuant même des étoiles ; mais les compagnies elles-mêmes ont tendance à s'accorder des étoiles, ce qui rend le marché difficile à évaluer ! Il s'est donc créé une classification parallèle par grandes catégories, allant du luxueux au modeste, qui est de plus en plus utilisée par les professionnels.
On peut en effet distinguer quatre grandes catégories :

▶ **Luxury** C'est la plus luxueuse par ses services et ses aménités. Les cabines sont toutes extérieures, d'une surface supérieure à 17 mètres carrés, et comptent un grand pourcentage de balcons. L'*open sitting* est pratiqué dans tous les restaurants. Le *room service* est disponible vingt-quatre heures sur vingt-quatre. La table est de grande qualité. Le décor est agréable et le ratio espace/passagers est largement calculé. Le service dans son ensemble est impeccable. On ne pratique en général pas le pourboire à bord...
Prix : 300 à 450 € par jour en moyenne.

▶ **Premium** Cette catégorie vient juste en dessous du Luxury. Le décor et la gastronomie peuvent y être de qualité, mais la plupart du temps les restaurants doivent assurer deux services, ce qui entraîne automatiquement des contraintes. On ne peut plus alors parler de grand luxe, même si la sur-catégorie **Premium Plus** s'en approche beaucoup.
Prix : 120 à 350 € pour les cabines les plus luxueuses.

▶ **Standard** Comme son nom l'indique, cette catégorie bénéficie d'un confort de croisière tel qu'on se l'imagine aujourd'hui dans la plupart des cas. On y trouvera tout ce que l'on attend d'évidence : des cabines confortables, avec douches et toilettes privées, une restauration traditionnelle, un service général satisfaisant et un entretien correct des navires. Là encore, **Standard Plus** indique plus de confort, s'approchant souvent de la catégorie **Premium**.
Prix : 100 à 200 € par jour, hors transport en avion.

▶ **Budget** Cette catégorie offre aujourd'hui presque tout le confort et les services traditionnels des catégories supérieures. Mais la croisière se déroulera sur un navire plus ancien, aux cabines plus réduites.
Prix : inférieur à 100 € par jour.

Toutes ces évaluations de prix ne tiennent évidemment pas compte des discounts et autres remises, notamment pour réservation et paiement à l'avance (*early fares*), proposés de plus en plus par les compagnies maritimes et les intermédiaires distributeurs.

FICHES TECHNIQUES MODE D'EMPLOI

Chaque fiche technique qui suit évoque à la fois l'histoire succincte du navire, sa situation dans le grand secteur des croisières en général, mais aussi donne les principaux éléments techniques et de confort pouvant intéresser les passagers potentiels. Elles tiennent compte de notre propre avis et test personnels, ainsi que des commentaires de nombreux utilisateurs professionnels, autant que ceux des passagers de toutes origines.

On trouvera dans chacune des colonnes suivantes (avec **abréviations correspondantes** entre parenthèses)

- **1ère ligne : le navire et son identité**

Nom actuel du navire et de la compagnie de croisières sous le nom de laquelle il est le plus souvent armé et surtout commercialisé.

- **2e ligne : les principales caractéristiques**

Tonnage de jauge brute (en tonneaux) (**grt**), soit son volume intérieur consacré à la croisière / longueur en mètres (**m**) / largeur en mètres (**m**) / tirant d'eau en mètres (**m**) / équipage total (officiers, marins et personnel hôtelier) (**cr**) / pavillon d'enregistrement / le cas échéant s'il est classé glace (ice class) (**ic**) ou brise-glace (**ib**)

- **3e ligne : quelques caractéristiques techniques**

Vitesse de croisière (le cas échéant maximum) en nœuds (**kn**) ou en km/h s'il s'agit de yachts / présence de stabilisateurs (**stab**) / de propulseurs d'étraves (**prop**) et de pods (**pod**) / système de ballast pour voilier (**bilge keel**) / d'air conditionné sur l'ensemble du navire (**ac**) / d'ascenseurs (**elev**)

- **4e ligne : les cabines et les aménités en cabines**

Nombre moyen de passagers à bord (**pass**) / nombre de véritables suites (**suit**), d'appartements (**app**) duplex (**dup**), de penthouses (**pent**) de luxe (**del**) de cabines extérieures (**cab ext**), avec balcon (**bal**) ou french balcony (**fb**), de cabines intérieures (**int**) / téléphone (**tel**), télévision (**vid**), par satellite (**sat**) en cabine (**cab**), vcr-magnétoscope (**vcr**) en cabine / air conditionné réglable en cabine (**acm**) / voltage courant électrique en cabine (**V**)

- **5e ligne : les aménités du bord**

1 ou 2 services de restauration (**1-2 sit**) ou open sitting (**os**) dans le restaurant principal (**m rest**) / buffet (**buf-cafet**), grill (**grill**), bistrot (**bis**) donnant sur pont ou terrasse (**ver**) / restaurants alternatifs de diverses gastronomies (**ita, chi, asi, jap, fr, etc.**) avec supplément (**°**) / service en cabine 24 h sur 24 (**room serv 24 h**) / piscine (**pool**) / jaccuzzi et whirpool (**jac**) / centre de soins, massage, hydrothérapie (**spa**) / sauna (**saun**) / salle de fitness et de musculation (**fitn**) / salle de theatre (**thea**) et nombre de sièges (**s**) / salons pouvant se transformer en théâtre (**loun**) ou en salle de danse / centre de conférences et réunions (**conf**) / salle de cinéma (**cin**) / centre informatique avec ordinateurs accessibles aux passagers (**pc**) et café internet (**@**) / discothèque ou salon de danse (**disco**) / bibliothèque (**libr**) / vidéothèque prêtant des cassettes (**vid libr**) / casino (**cas**) / installations spéciales pour enfants et adolescents (**cluK**) / salle avec télévision (**vid**) / installation inmarsat de téléphone et fax (**sat tel fax**) accessible à tous les passagers / internet et fax par satellite (**sat@fax**) / piste de jogging (**jog**) / terrain de basket-ball (**bb**), de volley-ball (**vb**), de tennis (**tenn**) / installations de golf (**prac glf**) / matériel de sports nautiques : windsurf (**ws**), ski nautique (**sn**) / présence de matériel de plongée encadrée (**div**) ou libre (**scub**) / présence à bord de zodiacs (**zod**) ou de petits tenders spéciaux pour les excursions (**tend**) / marina arrière (**mar**) rétractable (**mar**) / hélicoptère (**hel**) attaché au navire et hélipad (**hel**).

PAUL GAUGUIN

Compagnie maritime de croisières/Radisson Seven Seas Cruises

Élégant, petit, ce paquebot Luxury fut lancé en 1997 par les Chantiers de l'Atlantique pour la Compagnie maritime de croisières. Mais, dès le départ, il fut utilisé par Radisson Seven Seas Cruises pour le marché nord-américain. Les officiers et une partie de l'équipage sont français ; le personnel de cabines et de restauration, choisi avec soin, est plus cosmopolite. Un grand chef français, Jean-Pierre Vigato, supervise la gastronomie à bord. La décoration est sobre et chic : on y trouve de belles boiseries blondes, une atmosphère très lumineuse, une magnifique salle de restaurant. Le navire se veut également porté sur les sports : sa marina arrière de débarquement direct a été conçue pour pénétrer plus facilement à l'intérieur de certains lagons.

- 19 000 grt / 156,50 m / 21,60 m / 5,15 m / cr 206 / France
- 18 kn / stab / prop / ac / 3 elev
- 318 pass / 6 suit bal 2 / 16 cab bal 2 / 140 cab ext / sat tel vid cab vcr / acm
- os 1 rest + grill ver + grill room / serv 24h / pool / spa / saun / fitn / conf / thea 220 s / libr / sat tel fax / vid / cas / ws / sn / scub / mar

WORLD DISCOVERER 2

Society Expeditions

Ce joli navire finnois au design contemporain avec une coque « ice class » est devenu le second *World Discoverer*, après avoir vécu plusieurs vies depuis sa création, en 1989. Racheté par les Chinois, puis par les Coréens, il fut récemment revendu à Society Expedition, l'un des grands spécialistes des croisières-expéditions. Après l'échouage du premier *World Discoverer*, la compagnie recherchait un bon remplaçant pour les fameux itinéraires transpacifiques, de l'extrême Alaska à l'Antarctique. Le navire fut remarquablement réaménagé à Singapour, avec des cabines plus vastes, certaines même avec balcon ou « french balcony »... Le restaurant est en « single sitting ». Le staff de conférenciers et d'experts, plutôt Allemands ou anglophones, y est toujours d'une qualité première.

- 6057 grt / 108 m / 15,60 m / 4,50 m / cr 90 / Bahamas / ic
- 16 kn / stab / prop / ac / 1 elev
- 160 pass / 6 cab bal 2 / 20 cab ext fb 2 / 60 cab ext 2 / acm / vid cab / acm
- os 1 rest / pool +1 jac / saun / fitn / cin / conf / libr @ / vid /

SILVER WIND
Silversea Cruises

Comme son « sistership » le *Silver Cloud*, le *Wind* fut, en 1994, l'une des plus belles nouvelles réalisations en matière de navires de croisières, servant même de modèle aux paquebots Luxury à venir. Il ne propose que des cabines extérieures, équipées pour certaines de balcons. Le restaurant pratique l'« open sitting », et il existe un véritable service en cabine 24 heures sur 24. La décoration intérieure est claire, sans chichis baroques, plutôt style design moderne italien... tempéré. Partout, on éprouve une sensation d'espace, d'aisance, de souplesse générale. L'atmosphère, de bon ton, est décontractée. Les itinéraires sont choisis avec justesse, allant du classique bon teint à quelques échappées plus sophistiquées.

- 16 800 grt / 157 m / 21 m / 5,30 m / cr 196 / Bahamas
- 20,5 kn / stab / prop / ac / 4 elev
- 310 pass / 4 pent + bal 4-5 / 3 suit cab + cab bal 2-3 / 102 suit bal 2-3 / 38 suit 2 / sat tel vid cab vcr / acm
- os 1 rest + grill ver + room serv 24 h / pool + 2 jac / saun / fitn / thea 306 s / libr / vid libr / pc / cas

CLIPPER ODYSSEY
Clipper Cruise Line

Ce mini-paquebot (ou mégayacht) de luxe est japonais. Il fut construit en 1989 en Hollande, et ressemble aux *Sea Goddess*, dont il a plus ou moins copié la formule. On trouve à bord les mêmes petites suites bien équipées, ainsi que tous les services que l'on est en droit d'attendre d'une unité de cette classe. Le navire ne rencontrant pas le succès escompté vis-à-vis de la clientèle nippone, la Showa Line vendit cet *Oceanic Grace* à Spice Island Cruises, qui le revendit à son tour, sous le nom d'*Oceanic Odyssey*, à la compagnie américaine Clipper Cruise Line. Rebaptisé le *Clipper Odyssey*, il est devenu le navire « soft-expedition » transpacifique d'une clientèle très américaine. Ses croisières alternent de superbes itinéraires entre le Kamchatka et la Nouvelle-Zélande.

- 5218 grt / 103 m / 15,40 m / 4,30 m / cr 70 / Bahamas
- 19,5 kn / stab / ac / 1 elev
- 120 pass / 1 suit bal 2 / 8 cab bal 2 / 52 cab ext 2 / vid cab / acm
- os 1 rest / pool + 1 jac / saun / fitn / loun / vid / sat tel fax / ws / sn / scub / div / zod / mar

HANSEATIC
Hapag Lloyd Kreuzfahrten/ Radisson Seven Seas Cruises

Ce superbe petit paquebot-expédition fut conçu et lancé en 1990 pour Society Expedition et Abercrombie & Kent. Il offre beaucoup plus de confort que les prédécesseurs – pionniers – l'*Explorer* et le *World Discoverer* premier du nom. Le navire fut repris par l'Allemand Hanseatic Tours, qui le rebaptisa *Hanseatic*, avant d'être finalement intégré dans le groupe Hapag Lloyd. Tout comme le *Bremen*, ce navire est également commercialisé sur le marché américain par Radisson Seven Seas Cruises. Il s'agit d'un navire-expédition de catégorie Luxury. Ses cabines sont toutes extérieures. L'atmosphère à bord, décoration comme clientèle, est du genre chic et sobre... Le bateau est toujours géré depuis l'Allemagne, et ses passagers sont le plus souvent germaniques.

- 8378 grt / 122,80 m / 18 m / 4,71 m / cr 122 / Bahamas / ic
- 16 kn / stab / prop / ac / 2 elev
- 190 pass / 4 suit / 88 cab 2 / sat tel vid cab vcr / acm
- ss 1 rest + grill ver+ room serv 24h / 2 pool / saun / fitn / cin / conf / vid / vid libr / sat tel fax / ws / zod / hel

VICTORIA PEARL / VICTORIA PRINCE / VICTORIA 1 À 7
Victoria Cruises

Toute une série de navires fluviaux ont été construits et lancés en Chine entre 1992 et 1994. Conçus tout exprès pour le Yangzé, ils ont été repris par la plus importante compagnie du fleuve, Victoria Cruises, gérée en fait depuis New York. Tous ces bateaux sont des quatre-ponts modernes aux cabines extérieures plutôt spacieuses, équipées de larges fenêtres. On trouve à bord toutes les aménités modernes et tous les services courants : piscine, massage, fitness, mais aussi acupuncture et cours de taïchi, Chine oblige. Les repas sont servis en buffets ou dans la grande et jolie « Dynasty room ». La cuisine est naturellement double : européenne pour la clientèle américaine, et chinoise. Le personnel est chinois, la direction de croisière occidentale et anglophone.

- 2000 grt / 90 m / 16 m / 2,50 m / cr 112-114 / Chine
- 28 km/h / prop / ac / elev
- 150-174 pass / 10 suit / 72-74 cab 2 / vid cab / acm
- ss / pool / jac / saun / fitn / disco / libr / vid / sat tel fax

PANDAW I / PANDAW II
Irrawaddy Flotilla Co

Les « paddle-steamers » de la fameuse Irrawaddy Flotilla régnaient depuis 1860 sur les fleuves birmans. Vers 1995, l'Écossais Paul Strachan décida de ressusciter ces navires pour, cette fois, proposer de véritables croisières de découverte. Il dénicha dans les arrière-quais de Rangoon l'un des derniers bateaux à roues à aubes construit à Glascow en 1947. Cinquante ans plus tard, il le restaura et le nomma *Pandaw II*. Certes, la grande roue a cédé la place à un moteur moderne, mais grâce aux bois précieux (le teck est omniprésent à bord) et au talent des artisans locaux, l'atmosphère « première classe » tropicale des steamers d'autrefois a pu être reconstitué avec beaucoup de goût. Le second *Pandaw* a été, lui, construit de toutes pièces en 2001, avec beaucoup de soin, sur le modèle ancien.

- 800 grt / 46-55 m / 10 m / 1 m-0,80 m / cr 23 / Myanmar
- 20 km/h / ac
- **PI** 32 pass / 16 cab 2 / acm
PII 48 pass / 24 cab 2 / acm
- 1 rest / libr / vid

KAPITAN KHLEBNIKOV
Far Eastern Shipping/
Quark Expeditions

Comme son « sistership » *Kapitan Dranytsin*, c'est l'un des grands brise-glaces russes (non nucléaires) lancés en 1980 et 1981. Amplement chartérisés par des tours étrangers, notamment Américain Quark Expeditions, ils sont devenus de véritables navires de croisières-expéditions, quasiment à longueur d'année. Ces navires exceptionnels peuvent, grâce à leur puissance, aller secourir d'autres bateaux empêtrés dans une banquise précoce. À bord, les barmen et le chef de cuisine sont en général européens, les conférenciers plutôt américains, les officiers et l'équipage, particulièrement compétents, russes. L'équipement compte un précieux hélicoptère. Relativement confortables, ces bateaux sont des instruments de découverte arctique ou antarctique incomparables.

- 12 228 grt / 132,40 m / 26,75 m / 8,50 m / cr 60 / Russie / ib
- 16 kn / prop / ac / 1 elev
- 116 pass / 2 suit 2 / 4 cab ext 2 / 48 cab ext 2-3 / acm / vid cab
- ss 1 rest/ pool int/ saun/ fitn/ cin / libr / sat tel fax / pc@ / zod / hel

SONG OF FLOWER
Radisson Seven Seas Cruises

Difficile de reconnaître l'ancien cargo construit en Norvège à la fin des années soixante-dix ! Ce joyau de la catégorie Premium Plus fut totalement transformé une première fois par les Américains d'Expedition Cruises, puis quasi immédiatement racheté par les Japonais de Nyk. Désormais doté de belles suites et cabines, il fut confié à un personnel européen et un équipage scandinave. Le navire, rebaptisé *Song of Flower*, avec ses itinéraires toujours remarquables et son service irréprochable, trouva vite sa place au sein du groupe. Ici, on cultive plutôt le style piano-bar. C'est l'un des meilleurs petits paquebots du marché. Ses officiers, son équipage et ses clients lui sont restés fidèles : on y revient souvent entre amis, comme dans ces hôtels de charme, patinés et familiers.

- 8282 grt / 124,40 m / 16 m / 4,90 m / cr 144 / Norvège
- 17 kn / stab / prop / ac / 2 elev
- 172 pass/ 2 suit 2-3 / 10 cab bal 2-4 / 70 cab ext 2 / sat tel vid cab vcr / acm
- os 1 rest + grill ver + room serv 24 h / pool + 1 jac / saun / fitn / sat@fax / vid / vid libr / ws / sn / tend

SEA CLOUD II
Hansa Treuhand/Sea Cloud Kreuzfahrten

Ce grand voilier moderne, sorti en 2001, ne se voulait ni une exacte réplique du fameux *Sea Cloud* appartenant à la même compagnie depuis 1994, ni une sorte de succédané de ce dernier. Construit dans les chantiers espagnols Gondran, ce trois-mâts spectaculaire (la cime s'élève à plus de 50 mètres au-dessus des flots) est légèrement plus grand que son prédécesseur. Il aspire au même confort, décoré avec beaucoup de goût dans un style années trente. Toutes les cabines sont spacieuses, avec de belles couleurs chaudes, même si certaines ne possèdent que des hublots. Certaines suites donnent sur les coursives extérieures. Ce bateau est un Luxury à tendance sportive. Sa clientèle, huppée, est surtout allemande, américaine et anglaise.

- 3849 grt / 117,12 m hors tout / 16 m / 9,40 m / 53 m/tm / cr 58 / Malte
- 14 kn (12,5 kn sous voile) / prop / bilge keel / ac
- 96 pass / 2 suit 2 / 46 cab 2 / sat tel fax vid cab vcr / acm
- ss 1 rest / saun / fitn / libr pc@ / vid libr / ws / sn / sat tel fax / mar

SEA CLOUD
Sea Cloud Kreuzfahrten

Ce grand voilier, toujours aussi célèbre, s'appela d'abord le *Hussar*. C'était à l'origine, en 1931, un superbe yacht privé construit pour la riche Madame Marjorie Merriweather-Post. Sa propriétaire veilla toujours à ce qu'il soit l'un des plus élégants grands voiliers du monde. L'extérieur est majestueux : ce quatre-mâts dispose de ses trente voiles qui, déployées, couvrent une superficie de 3000 mètres carrés. La décoration intérieure est superbe. Malgré sa réquisition durant la Seconde Guerre mondiale, le navire a réussi à conserver presque tout son décor. Aussi, lorsqu'un groupe d'armateurs privés allemands le racheta, en 1978, ce fut plus un travail d'aménagement aux normes techniques les plus récentes qu'une totale rénovation. La direction de croisières et l'animation sont germaniques et anglophones.

- 2323 grt / 116 m / 14,94 m / 5,15 m / cr 65 / Malte
- 12-15 kn / prop / ac
- 68 pass / 2 suit 2-3 / 32 cab 2 / cab 1 / acm
- os 1 rest / vid / sat@fax / libr / ws / sn / zod

SUN BAY / SUN BAY II
Sun Bay Kreuzfahrten

Ces deux mégayachts viennent des chantiers allemands de Cassens Werft. Le premier est sorti au printemps 2001, le second devrait apparaître fin 2002. Ils ont été conçus pour une clientèle allemande, mais aussi américaine : Classical Cruises les affrète pour des croisières destinées aux *alumni*, grandes associations d'anciens élèves gravitant autour des principales universités et musées des États-Unis. Ces bateaux ne sont pas véritablement de classe Luxury, mais ils offrent déjà un bon confort et un style plutôt sportif. Leurs itinéraires peuvent être remarquables.

- 3000 grt / 88,50 m / 14 m / 3,60 m / cr 50 / Bahamas
- 16 kn / stab / prop / ac / 1 elev
- 96 pass / 9 cab bal 2 / 37 cab 2 / sat tel vid cab / acm
- os 1 rest + buf ver / 1 jac / saun / fitn / vid / sat tel / mar

SILVER WHISPER
Silversea Cruises

Comme son « sistership » le *Shadow*, le Silver Whisper est l'un des deux plus grands et récents navires de la compagnie Silversea Cruises. Ils ont été commandés en 2000 et 2001 aux chantiers génois de T. Mariotti, ceux-là mêmes qui avaient construit le *Wind* et le *Cloud*. Avec ses 25 000 tonneaux et ses 182 mètres de longueur (au lieu des 16 800 tonneaux des précédents), le *Silver Whisper* accueille mois de quatre cents passagers, ce qui lui confère un ratio espace supérieur. Toutes les cabines possèdent leur dressing. Tous les services Luxury sont disponibles à bord. Ces nouveaux navires sont classés parmi les plus luxueux et confortables du monde.

- 25 000 grt / 183 m / 24,55 m / 6 m / cr 295 / Bahamas
- 21 kn / stab / prop / ac / 5 asc
- 400 pass / 2 pent bal 4-5 / 6 suit bal 2-3 / 15 suit bal 2 / 128 cab bal 2 / 35 cab ext 2 / sat tel vid cab vcr / acm
- os 1 m rest + grill ita ver / buf grill ver + room serv 24 h / pool + 2 jac / spa / saun / fitn / thea 306 s / libr / vid libr / pc@ / conf / cas

LEVANT
Compagnie des Îles du Ponant

Dès le départ, ce *Levant* tout neuf se devait d'être un superbe mini-paquebot, ou mégayacht dans le style de ceux lancés par les *Sea Goddess*. Ses lignes, dues au designer français Bretecher, sont résolument aérodynamiques et contemporaines.
La décoration intérieure, à la fois sportive et intime, claire et sobre, avait déjà fait le succès du voilier *Ponant*. Ses cabines sont plus spacieuses et luxueuses (marbre dans la salle de bains…). Son service, français, jeune, empressé, attentif et raffiné, ainsi que sa table (française également), ont contribué à son succès auprès de la clientèle américaine, pourtant réputée exigeante. Le navire opère en été à partir de Saint-Pierre et Miquelon, sur les Grands Lacs, au Canada, jusqu'à Chicago, mais aussi au Nunavut. L'hiver, il se positionne dans les Caraïbes.

- 3500 grt / 99 m / 14 m / 4,71 m / cr 50 / France / ic
- 16 kn / stab / prop / ac / elev
- 90 pass / 40 cab 2 / 5 cab 2-3 / sat tel vid vcr / acm
- os 1 rest + grill ver / pool / saun / fitn / libr / vid / vid libr / sat tel@fax / ws / sn / scub / div / zod / tend / mar

QUEEN ELIZABETH 2
Cunard Line Ltd

Mis en service en 1969 pour répondre au défi du *France* sur la fameuse ligne du Ruban bleu, ce dernier grand fleuron des chantiers britanniques a remarquablement bien tenu, depuis trente-cinq ans, une place qui semblait pourtant perdue d'avance. Il combine les traversées transatlantiques traditionnelles (souvent avec l'appui du *Concorde*) et les croisières classiques, parfois même autour du monde.
Il a reçu à l'origine pour cela quelques atouts spécifiques que ne possédait pas le *France*, puis a bénéficié d'améliorations notables.
Le *Queen Elizabeth 2* (*The Old Lady* pour les intimes) devrait survivre à l'arrivée du géant *Queen Mary 2*, en 2004, devenant alors un paquebot plus traditionnel au départ de l'Angleterre.

- 69 053 grt / 293,50 m / 32 m / 9,90 m / cr 1015 / Grande-Bretagne
- 28,5-32,5 kn / stab / prop / ac / 13 elev
- 1500 (lin) - 938 (cr) pass / 33 pent bal 4 / 632 cab 2-1 / 271 cab int 2-1 /sat tel vid cab / acm
- ss 1 Queen grill + 2 grill + 2s 1 rest + buf os din + bis 24 h / pool + 4 jac / fitn / cin / thea 531 s / loun 520 s / disco / sat tel fax / vid / libr / pc / cas / conf

QUEEN MARY 2
Cunard Line Ltd

Ce navire est le grand projet de la compagnie Cunard, rachetée par le groupe Carnival. Le *Queen Mary 2* sera le plus long et le plus grand paquebot (de ligne et de croisières) jamais construit au monde. Enfant des Chantiers de l'Atlantique, il atteindra deux fois le volume de ses aînés, le *Normandie* et le *France*. Bénéficiant à la fois des techniques les plus modernes (balcons à tous les ponts, accès internet…), il devrait aussi magnifier une certaine réminiscence de l'époque des grands liners, avec une vitesse atteignant les 30 nœuds. Ce paquebot sera un véritable must dans l'art de la croisière, un renouveau.

- 150 000 grt / 345 m / 41 m / 10 m / cr 1253 / Grande-Bretagne
- 30-33 kn / stab / prop / 4 pods / ac / 22 elev
- 2620-3090 pass / 5 app dup bal 2 vcr vid fitn / 4 pent del bal vcr (2 pent elev) / 6 pent bal vcr / 82 suit bal / 782 cab bal / 138 cab ext / 300 cab int / sat tel vid@cab / acm
- 1 Queen grill + 2s 1 rest 1350 s + cafet ver buf os din + bis 24 h / 4 pool +1 pool int / spa fitn / thea 1350 s / sat tel fax / vid / libr-vid libr / pc@ / conf / clubK pool / cas

NORWAY / ex-FRANCE
Norwegian Cruise Line

Avec ses 316 mètres, le *Norway* est encore (jusqu'à l'arrivée du *Queen Mary 2*) le plus long paquebot du monde. Mais il n'était déjà plus le plus grand depuis 1996. Quoi qu'il en soit, ce bateau d'exception restera inscrit dans toutes les mémoires comme un paquebot de légende. Pour les Français en particulier, il subsistera comme un souvenir fascinant et glorieux. Lancé en 1962 par les Chantiers de l'Atlantique pour la ligne transatlantique, il était désigné comme le successeur du fabuleux et malheureux *Normandie* sur la ligne du Ruban bleu. Le *Norway* n'est plus aujourd'hui qu'un « paquebot-vacances » aux airs de palace…

- 76 069 grt / 315,66 m / 33,70 m / 12,50 m / cr 900 / Bahamas
- 18-21 kn / stab / prop / ac / 13 elev
- 1900 pass / 6 suit bal 4 jac / 56 cab bal 2 / 114 cab ext 2 / 496 cab ext 2 / 420 cab int 2 / sat tel vid cab / acm
- 2 serv 2 m rest + buf caf ver + bis + icp / 2 pool + 1 pool int / spa + 2 jac / saun / fitn / thea 840 s / loun 670 s / cab 300 s / disco / conf / cluK 3-17 ans / sat fax / vid / jog / bb / vb / cas

ADRIANA

Marina Cruises/
Plein Cap Croisières

Au moment de son lancement, en 1972, cet *Aquarius* des Hellenic Mediterranean Lines fut le premier navire grec construit spécialement pour la croisière. Net, élégant, confortable, il fut rapidement connu des amateurs du grand carrousel vers les îles égéennes. Racheté par la Jadrolinja, une compagnie yougoslave, puis croate, il fut modernisé en 1988. Souvent affrété par des tour-opérateurs européens, il fut cédé à nouveau à un consortium d'investisseurs français lié à Plein Cap, son ancien représentant général installé sur la Côte d'Azur. Son atmosphère, presque familiale et bon enfant, est essentiellement francophone. Ses itinéraires sont toujours très bien pensés. Son équipage, en grande partie croate, est rompu aussi bien aux navigations arctiques qu'à celles de l'océan Indien.

- 4490 grt / 104 m / 14 m / 4,50 m / cr 104 / St Vincent et Grenadines
- 16 kn / stab / prop / ac / 1 elev
- 298 pass / 18 cab ext 2 / 92 cab ext 2-3 / 6 cab ext 1 / 26 cab / acm
- ss 1 rest / pool / saun / fitn / cin-loun 100 s / sat@fax

RIVER CLOUD

Sea Cloud Kreuzfahrten

Les fameux armateurs qui ont remis en service le *Sea Cloud* ont voulu recréer sur les rivières d'Europe un peu de cette atmosphère de luxe qui fait le charme, mais aussi la nostalgie de toute une époque de croisières fluviales. C'est dans cet esprit que fut construit le premier *River Cloud*, mis en service en 1996 (depuis, il y en a eu un second, plus spécialement destiné au Pô). Ce bateau, grâce à son gabarit bien étudié, peut naviguer le long de l'immense réseau du Rhin, parcourant également les affluents et les canaux, dont le fameux canal Rhin-Danube qui permet d'accéder au Danube lui-même. Confortable, entièrement décoré avec de l'acajou, le *River Cloud* privilégie les lumières tamisées et l'ambiance piano-bar. Son service est impeccable. C'est un navire de luxe.

- 1000 grt / 110 m / 11,40 m / 1,70 m / cr 33 / Suisse
- 25 km/h / prop / acm /
- 98 pass / 6 suit 2 / 43 cab 2 / sat tel vid cab vcr / acm
- ss 1 rest / saun / fitn / libr / vid / vid libr

YAMAL

Murmansk Shipping Co/Quark Expeditions

Comme le Sovietiskiy Soyuz, l'un de ses « sisterships », le *Yamal* est un grand brise-glace nucléaire russe. Lancé en 1987, l'Américain Quark Expeditions l'utilise régulièrement pour ses croisières dans l'océan Arctique. Sa masse est de 23 000 tonneaux et il possède une double coque. Ses turbines à vapeur, alimentées par l'énergie nucléaire, lui confèrent une puissance de 75 000 chevaux. Équipé d'un ingénieux système d'envoi de jets d'eau chaude en dessous de la couche de glace, ainsi que de ballasts bien conçus, ce navire peut avancer à 12 kn en pleine banquise et atteindre le pôle Nord en écrasant littéralement la glace. Il dispose d'hélicoptères, de zodiacs, ainsi que de conférenciers et d'officiers russes hautement qualifiés. Ses croisières sont chères, certes, mais inoubliables.

- 23 000 grt / 150 m / 30 m / 7-11 m / cr 130 / Russie / ib
- 18-22 kn / pod / ac / 1 elev
- 100 pass / 11 suit 2 / 14 suit 2 / 35 cab 2 / vid cab / acm / 110-220 V
- ss 1 rest / pool int / saun / fitn / cin / libr / sat tel fax@ / vid / zod / hel

HEBRIDEAN SPIRIT

Hebridean Island Cruises

L'*Hebridean Spirit* est l'un de ces petits *Renaissance* lancés en 1991 comme une alternative quasi luxueuse mais plus abordable aux *Sea Goddess*. À la suite des diverses mésaventures de Renaissance Cruises, le bateau a été repris par Hebridean Island Cruises. Dans la suite logique de son *Hebridean Princess*, cette compagnie a voulu en faire une véritable auberge écossaise flottante de luxe, capable de traverser le monde en hiver. Ce fut possible grâce à un renflouement de plus de 4,5 millions de livres sterling et le talent du designer naval John Mc Neece pour la nouvelle décoration intérieure. On ajouta un « Panorama lounge » sur un pont et une superbe cheminée en pierre de Bath sans le « Skye lounge ». Ses croisières sont parmi les plus élevées du marché, mais elles le méritent.

- 4280 grt / 91 m / 15 m / 3,90 m / cr 72 / Grande-Bretagne
- 16 kn / stab / prop / ac / 1 elev
- 79 pass / 4 cab bal 2 / 32 cab 2 / 18 cab 1 / sat tel vid cab vcr /acm
- os 1 rest + grill ver / pool + 1 jac / spa / saun / vid / vid libr / sat tel vid pc@ / cas / mar

SEVEN SEAS MARINER

Radisson Seven Seas Cruises

Ce navire fut la deuxième unité neuve de Radisson Seven Seas Cruises. Bien plus imposant que le *SS Navigator* précédent, avec 216 mètres de longueur, ce *Mariner* se loge dans le module technique de série mis au point par les Chantiers de l'Atlantique pour le *Mistral* (de là vient la présence à bord d'officiers français...). Le ratio espace/passagers est conservé. Le bateau bénéficie d'un service luxe, traditionnel chez Radisson Seven Seas Cruises, et d'un système de propulsion par pods. Toutes les cabines possèdent leur propre balcon. Le *Mariner* concourt lui aussi pour le titre convoité du plus luxueux navire de croisières du monde.

- 48 000 grt / 216 m / 28,80 m / 6,50 m / 443 cr / France
- 18-21,5 kn / stab / pod / prop / ac / elev
- 713 pass / 80 pent suit bal 2-4 / 280 cab bal 2 / sat tel vid cab vcr / acm
- os 1 m rest 750 s + grill ver + 1 rest ita + room serv 24 h / pool + jac-spa / saun / fitn / cin / thea / conf / sat tel fax pc@ / vid / jog / cas

HOMMAGE AUX CRÉATEURS DE CROISIÈRES

Difficile dans un livre sur les plus belles croisières du monde de ne pas rendre hommage à ceux qui les ont en quelque sorte inventées. Qu'ils soient armateurs ou entrepreneurs, parfois simples tour-opérateurs, presque artisanaux, ces hommes ont conçu le rêve un peu fou de faire découvrir le monde aux autres. Depuis des années ils s'attachent à dénicher les plus beaux endroits, les meilleurs itinéraires, les bateaux les plus marquants. Pour leurs passagers, ils conçoivent des périples enrichissants, des escales originales, des rendez-vous inédits avec la beauté et l'insolite.

À tout seigneur tout honneur : le Suédois Lars Lindblad fut le premier à faire construire, en 1969, un véritable navire-expédition « ice class » : le *Lindblad Explorer* devenu l'*Explorer*, toujours en service grâce à la famille Kent (du non moins célèbre tour anglais Abercrombie & Kent).

Quelques années après, l'Allemand Heiko Klein lança le *World Discoverer* – premier du nom –, et son *World Discoverer II* est encore aujourd'hui le fleuron de Society Expeditions. Les armateurs allemands ont toujours conçu leurs programmes de croisières avec beaucoup de goût : ainsi le captain Moldenhauer avec l'*Hanseatic* et le *Bremen*, repris par la Hapag Lloyd, les armateurs fondateurs des Sea Cloud Kreuzfahrten, ou encore Peter Deilmann.

Aux États-Unis, dès le début des années 1970, un autre armateur et constructeur pionnier, Luther Blount, avait conçu et réalisé de nouveaux petits navires, comme Expedition Cruise Line (dont le *Song of Flower* fut le plus grand navire), Clipper Cruise Line, Special Expedition, créé par le fils de Lars Lindblad, ou encore Cruise West sur la côte.

Le Suédois Lars Wikander, à l'origine de *Salen* et du *Frontier Spirit* (futur *Bremen*), s'associa avec l'Australien Mike Mc Dowell pour créer Quark Expedition et ses fameuses croisières polaires. La Scandinavie a été un creuset important de créateurs friands de nouvelles formules de croisières, avec le *Sea Goddess* (aujourd'hui *Sea Dream*), le *Seabourn* et les « petits » Renaissance des années 1990.

En Grande-Bretagne, il faut rendre encore hommage à de nombreux tours spécialisés comme Voyages Jules Verne, Noble Caledonia, et surtout Swan Hellenic qui affrète en permanence un navire spécialisé : le *Minerva II*. Hommage également aux Écossais de Hebridean Island Cruises.

Les Français ont surtout brillé en la matière par leur volonté d'organiser des croisières à thèmes. Paquet s'était rendue célèbre avec ses fameuses croisières musicales. Aujourd'hui, des petits tour-opérateurs comme Apsara et Atheneum essayent de maintenir un haut niveau de qualité. De jeunes commandants français ont aussi fondé leur propre compagnie : les Îles du Ponant, dont les croisières à bord du *Ponant* et du *Levant* ont su captiver les tour-opérateurs américains. Ainsi, Classical Cruises, Tauck Tours, Uniworld, Elegant Cruises essayent d'offrir – notamment aux *alumni* des grandes universités et fondations américaines – des itinéraires culturels, souvent très novateurs.

Enfin, il faut rendre hommage à d'autres pionniers comme Stanley Mc Donald qui, en 1968, avec la Costa, lançait l'Alaska, ou les frères Potamianos, célèbres pour leurs fameuses croisières aux îles grecques, et qui essayent aujourd'hui encore de combiner le maximum d'escales à bord de leurs très rapides *Olympia Voyager* et *Explorer*.

074296